Magia Planetaria

La guía definitiva de hechizos, rituales y magia de los planetas

Su regalo gratuito

¡Gracias por descargar este libro! Si desea aprender más acerca de varios temas de espiritualidad, entonces únase a la comunidad de Mari Silva y obtenga el MP3 de meditación guiada para despertar su tercer ojo. Este MP3 de meditación guiada está diseñado para abrir y fortalecer el tercer ojo para que pueda experimentar un estado superior de conciencia.

https://livetolearn.lpages.co/mari-silva-third-eye-meditation-mp3-spanish/

Índice

Introducción

¿Qué significan los planetas para usted? ¿Forman parte de su vida cotidiana o simplemente los da por sentado? Esas bolas giratorias de energía y masa forman parte de su universo e influyen en su vida, aunque no se dé cuenta. Es como ignorar el aire y el agua y el papel que desempeñan en su rutina diaria. Imagine un mundo sin Sol ni Luna. Impensable, ¿verdad? Los demás planetas del sistema solar son igual de relevantes e influyen en su vida diaria.

Aprender cómo y por qué le ayudará a sintonizar con las energías celestes para concentrar su atención en sus fuerzas y poderes individuales. Saber dónde estaban alineados los planetas cuando nació le dará una visión única de su personalidad. Los planetas conocen sus secretos más profundos y le ayudarán a convertirse en un ser humano lleno, espiritual y físicamente. Los rituales y hechizos dirigidos a los planetas y sus energías le harán sentir conectado y parte de la familia astral. Aproveche sus energías y conózcalas.

Los horóscopos y la astrología han existido desde que el hombre primitivo miró al cielo en busca de inspiración. Los humanos siempre han estado fascinados por los cielos, y nada ha cambiado. Involúcrese más con la magia astral y haga que su vida se alinee con estas magníficas energías.

Capítulo 1: Fundamentos de la Magia Planetaria

Su nombre en inglés es *Planetary Magick*. No piense que «magick» es un error tipográfico. *Magick* es un término para diferenciar ciertas prácticas dentro del amplio espectro de trabajos mágicos. *Magic* se ha utilizado durante siglos para describir cualquier cosa que ocurre debido a la manipulación del mundo físico con acciones metafísicas para crear un resultado.

El término *magick* fue utilizado por primera vez por Aleister Crowley, un ocultista moderno que se convirtió en el rostro del resurgimiento de creencias ancestrales, junto con Gardner y Hubbard, los fundadores de la Wicca y la Cienciología modernas. Afirmaba que el término «magick» se utilizaba para dar seriedad a sus creencias y, diferenciar las prácticas más serias de la magia escénica. Los informes históricos sobre antiguos poderes mágicos utilizaban el término «magia»; ¡nadie pensaba que se referían a cortar a una dama por la mitad o a sacar un conejo de una chistera!

Crowley ofreció varias explicaciones de por qué utilizaba el término alternativo, *magick*. Entre ellas, una definición más amplia, que significaba que debía utilizarse para cualquier acción que ayudara a cumplir cualquier sueño, manifestación o deseo que acercara al usuario a su verdadera voluntad. También explicó que convertir la palabra en un término de seis letras invocaba las propiedades mágicas del hexagrama, que desempeñaba un papel importante en sus escritos y hechizos.

Añadir la letra K a la palabra también añadía el elemento del número once, ya que es la undécima letra del alfabeto. Crowley creía que el 11 era uno de los números más significativos en los trabajos mágicos.

Si estudia textos y documentos antiguos, encontrará varias grafías de «magia», incluyendo «majick», «majik» y «magik». Sin embargo, más que un término alternativo, tienen la influencia de la jerga de la época. Crowley fue la primera persona en oficializar el término.

Magia de los Grimorios

La magia planetaria se remonta varias generaciones atrás y se menciona en algunos de los textos más significativos de los grimorios. Un grimorio es un término utilizado para describir un antiguo libro de hechizos y magia. El nombre procede del término francés «libro de gramática», y se utilizaban para registrar hechizos mágicos, conjuros, invocaciones y otras obras mágicas. Algunos de los libros más ocultistas se centraban en los trabajos de Satán y sus demonios y animaban al lector a conectar con las fuerzas oscuras y formar una alianza que les ayudara a tener éxito en sus vidas.

La mayoría de los grimorios destacaban la conexión entre los planetas y la vida humana. Registraban cómo la posición de los planetas se alineaba con nuestras vidas e influía en cómo vivíamos y prosperábamos. Algunos de los grimorios más informativos se siguen utilizando hoy en día para proporcionar datos y prácticas que son eficaces en la vida moderna.

Grimorios famosos

El Picatrix

Se cree que este grimorio fue escrito en el siglo XI y recibió el nombre de su autor, el sabio filósofo Picatrix. Escrito originalmente en árabe, fue traducido al castellano por el rey de Castilla a mediados del siglo XIII. Le siguió una versión latina, que fue la más estudiada hasta principios del siglo XX, cuando un célebre genealogista alemán llamado Wilhelm Pritz redescubrió la versión árabe.

El Picatrix es un detallado manual de instrucciones para construir talismanes, combinando ingredientes para formar compuestos mágicos. Más importante aún para este libro, son las lecciones sobre los espíritus planetarios y el uso del posicionamiento astrológico para determinar cuándo son adecuadas las condiciones en la Tierra, y respecto a la humanidad.

El volumen se divide en cuatro libros que abarcan las siguientes áreas de la magia:

- El libro uno trata de los cielos y sus efectos sobre los seres que residen bajo ellos.

- El libro segundo trata de las figuras sagradas de los cielos, los movimientos de los planetas y las esferas celestes, y el efecto que tienen sobre los seres terrestres.

- El libro tercero trata de las propiedades y los signos que nos muestran, los colores y formas que contienen y cómo afectan a la Tierra.

- El libro cuarto trata de los espíritus relacionados con los cielos y de cómo pueden incorporarse al arte o invocarse mediante propiedades mágicas utilizando imágenes, humo y otros métodos.

La Llave de Salomón

Se trata de un grimorio posterior que, se cree, fue escrito en los siglos XIII o XIV. Aunque el título podría sugerir una conexión con la figura bíblica del rey Salomón o el hijo de David, es más probable que fuera escrito por una colaboración de autores bien instruidos en magia y hechizos. Contiene varios conjuros en los que se utiliza el nombre de Jesucristo, que habría sido desconocido para las figuras bíblicas y, como tal, disipa cualquier conexión con el rey Salomón.

Se considera uno de los grimorios más convincentes e inclusivos que existen y contiene dos libros repletos de operaciones mágicas. Es un ejemplo típico de las creencias mágicas del Renacimiento e incluye nigromancia y geomancia. Da ejemplos del uso del aire, el fuego y el agua para invocar espíritus y demonios que cumplan sus órdenes. Los libros también tratan de la ropa mágica y los utensilios utilizados para invocar a los cielos y al otro mundo en los planos terrenales. La *Llave de Salomón* se encuentra en varios idiomas, y las traducciones suelen contener diferencias de interpretación.

El Libro Jurado de Honorio

Escrito en el siglo XIV, este grimorio era uno de los más secretos de los textos antiguos. Cada persona elegida para recibir un ejemplar juraba guardar el secreto y se comprometía a llevárselo a la tumba. Se cree que su autor fue Honorio, hijo de Euclides, y que fue inspirado por ángeles.

El famoso mago inglés John Dee poseía un ejemplar que actualmente se encuentra en el Museo Británico. El libro contiene algunos de los conjuros y hechizos más antiguos para influir sobre los seres angelicales y demoníacos para que trabajen con los humanos.

Cómo sacar el máximo partido a los grimorios

En lugar de leer todos los grimorios individuales y adquirir los conocimientos esotéricos de los eruditos europeos, pruebe leer el libro «*Secrets of the Magickal Grimoires*» de Aaron Leitch, donde proporciona un completo manual de referencia de términos medievales. Describe todos los diferentes métodos y comparaciones de todo el continente europeo y los métodos chamánicos utilizados para conectar con los espíritus.

Los planetas y el sistema solar han influido en la sociedad desde el principio de los tiempos. Antes de que se diera los nombres clásicos a los planetas, las culturas antiguas utilizaban el sol, la luna y los planetas visibles para adorarlos y alabarlos. Los cinco primeros planetas del sistema solar son difíciles de datar, lo que significa que fueron descubiertos y nombrados antes de que comenzaran los registros oficiales.

Como se dice arriba, se dice abajo

Los lemas y las frases forman parte del lenguaje moderno y se utilizan para resumir un concepto en pocas palabras. Algunos de estos lemas y frases se utilizan a diario y tienen un nivel de comprensión internacional. Significan lo mismo dondequiera que se oigan y forman parte de nuestra habla cotidiana. Tienen su origen en personajes de la vida real o pueden formar parte del folclor y la ficción. Por ejemplo, Bob Bitchin es un nombre que probablemente le diga muy poco, pero fue citado al decir: «La actitud es la diferencia entre un calvario y una aventura». Fue encarcelado injustamente y salió de su «calvario» como un hombre cambiado. *La gente que vive en casas de cristal no debería tirar piedras»* es otro dicho que se reconoce al instante, pero procede de un poema épico, «Troilo y Crésida».

«Como es arriba es abajo» es otra frase más esotérica impregnada de historia. Se Utiliza cuando la dualidad es el componente clave de una relación. Por ejemplo, cuando el microcosmos, es decir, su existencia, se mide con el macrocosmos, la sociedad en la que vive, se utiliza para resaltar la codependencia y las conexiones que todos necesitamos para sobrevivir. Otra frase para esa situación es «Ningún hombre es una isla».

Cuando se aplica a la magia planetaria, la expresión se remonta a sus raíces; se encontraron textos herméticos tallados en la *Tabla de Esmeralda*. La religión hermética se centraba en un profeta llamado Hermes, un sabio erudito que profetizó el surgimiento del cristianismo. Se creía que los textos vinculados a la religión eran una forma dual de culto que incorporaba las enseñanzas de Hermes, el dios de la comunicación, y Thoth, el dios egipcio de la sabiduría.

La *Tabla de Esmeralda* formaba parte de estos textos y allí podemos localizar el primer registro de la frase «Como es arriba, es abajo», que está relacionada con la alquimia. Se refiere a la conexión simbiótica entre la naturaleza y el trabajo del alquimista. Los astrólogos creen que el dicho tiene múltiples significados y consideran que la expresión significa que lo que ocurre en el Cosmos refleja lo que le ocurre a la raza humana. El macrocosmos pasa a ser los cielos y los planetas, y el microcosmos es el cuerpo humano. Algunos expertos llevan esta explicación más allá y creen que la conexión es entre la existencia física y la espiritual.

Independientemente de lo que se interprete de la frase, se basa en el concepto de que la magia y el plano astral están profundamente conectados. Lo que haga en el mundo físico se reflejará en su psique espiritual. Cualquier fuerza planetaria que abrace le ayudará a formar una conexión para mejorar su vida.

Un ritual para celebrar el Universo

Las energías individuales de los planetas son impresionantes cuando se consideran individualmente, pero como fuerza cósmica, son imbatibles. A veces necesitamos reconocer la enormidad de lo que representan cuando se combinan. El universo ha estado evolucionando durante miles de millones de años y debería anunciarse como parte del trabajo cósmico.

Alcanzar la unidad cósmica es un proceso energizante que le ayudará a sentirse parte de la conciencia superior y uno con el universo. Los rituales son más poderosos cuando se realizan en luna nueva o llena. Para obtener el máximo efecto, realícelos durante un eclipse.

Qué necesita

- Dos velas negras
- Dos velas blancas
- Turmalina negra
- Cuarzo transparente
- Bolígrafo y papel
- Incienso
- Quemador de aceite y su aceite esencial favorito

Instrucciones:

1. Despeje su altar de cualquier otra decoración o adorno.
2. Cúbrala con un paño blanco y coloque las dos velas negras en el punto norte del altar.
3. Coloque la turmalina negra entre las velas. Repita el proceso en el sur de su altar con las velas blancas y el cuarzo transparente.
4. Queme el incienso y encienda el quemador de aceite para alejar las energías negativas
5. Encienda las dos velas negras y escriba en el papel lo siguiente:

   «Desecho todas las partes negativas de mi ego.

   Entrego mi alma a los poderes del universo.

   Abandono todas mis necesidades materiales al universo.

   Confío en que el universo me ayudará a resolver mis preocupaciones e inquietudes.

   Dejo que el universo decida mi pasado, mi futuro y mi presente.

   Pido que el poder del amor y la iluminación llenen mi vida».

6. Dedique diez minutos a visualizar cómo la negatividad abandona su cuerpo.
7. Ahora imagine sus viejas emociones, miedos y preocupaciones flotando lejos de su cuerpo físico y de su mente.
8. Sienta como la luz del universo inunda su mente y su cuerpo y lo llena de energía.
9. Use el incienso para limpiar la negatividad de la zona con el humo. Coloque el papel debajo de las velas negras.

10. Ahora encienda las velas blancas y escriba en el papel

11. «Celebro mi conexión con el universo y la luz.

    Estoy alineado con los seres superiores y sus energías divinas.

    Que las vibraciones del universo resuenen en mi alma.

    Estoy preparado para recibir frecuencias y energía cósmicas.

    Estoy listo para expandirme y hacerme uno con el universo.

    Soy uno con los planetas, las estrellas, el universo y la luz vinculante».

12. Coloque el papel debajo de la vela blanca.

13. Siéntese frente al altar y contemple las llamas de las velas mientras reflexiona sobre el poder de los colores.

14. La vela negra representa que está dejando ir, y la llama está limpiando toda la negatividad y las emociones que le retienen. A medida que arde, su psique se prepara para dar la bienvenida a la nueva conciencia y a la luz de alta vibración del universo.

15. Quédese sentado todo el tiempo que quiera y observe las llamas, o cierre los ojos e imagine cómo será su vida después del ritual. Imagine los éxitos que alcanzará y la energía que fluye hacia su chakra corona mientras se limpia su chakra estrella de tierra.

    Después de algún tiempo, sentirá el equilibrio de la culminación cuando las energías se hayan alineado, y estará listo para terminar el ritual.

16. Dé las gracias al universo y a las energías que contiene.

17. «Este ritual ya está completo; doy gracias por su ayuda».

18. Apague las velas y entierre los restos en el jardín o bajo su árbol favorito.

Utilice este ritual para cargar sus energías cuando lo necesite y alinearse con el universo.

¿Qué edad tienen los planetas?

Mercurio

El primer registro escrito del planeta Mercurio se encontró en tablillas de piedra que datan de un astrónomo asirio que vivía en la época babilónica (alrededor del año 1.000 a. C.), quien lo llamó «planeta saltarín». Los romanos llamaron entonces al planeta «Mercurio» en honor a su dios de los mensajes, debido a la velocidad a la que se desplazaba por el cielo.

Venus

También recogido en un texto babilónico, fue avistado oficialmente por el famoso astrólogo Galileo en el siglo XVII. Su trayectoria permitió descubrir que los planetas orbitan alrededor del Sol y no de la Tierra, como se creía.

Tierra

Por supuesto, este planeta es único porque vivimos aquí y somos plenamente conscientes de su existencia. La forma de la Tierra ha sido y sigue siendo objeto de acalorados debates, y la primera idea de la que se tiene constancia se remonta al año 6.000 antes de Cristo. Incluso hoy en día, la Sociedad de la Tierra Plana cuenta con miembros que defienden que el mundo no es una esfera y que, de hecho, es plano.

Marte

Los antiguos astrónomos egipcios registraron la existencia del planeta rojo en el año 2.000 a. C. Sin embargo, llamó la atención del público en el año 300 a. C., cuando Aristóteles reconoció que la Luna pasa por delante del planeta, lo que significa que está más lejos.

Júpiter

Los babilonios mencionaron el planeta errante hacia el 8.000 a. C., pero reapareció en las tradiciones chinas en el 4.000 a. C., cuando el cielo se dividió en doce regiones zodiacales diferentes.

Saturno

Este planeta es el último que no se puede datar, y los asirios hicieron el primer registro de su existencia. En el año 700 a. C. lo describieron como el «resplandor de la noche». Galileo creía que era un planeta tripartito, pero no reconoció los anillos de Saturno formados por roca y hielo. Esto ocurrió casi cuarenta años después del primer seguimiento oficial del planeta.

Urano

William Herschel fue el astrónomo más influyente del siglo XVIII y descubrió el planeta Urano en 1781. Se le suele llamar el Gigante Azul porque el metano tiñe de azul su atmósfera.

Neptuno

John Adams tenía sólo veinticuatro años cuando descubrió Neptuno, el planeta más lejano del Sistema Solar. Por desgracia, no registró el descubrimiento y otros astrónomos se adjudicaron su trabajo. Sin embargo, Adams es el «descubridor de Neptuno» oficial y es famoso por ser el primer individuo que encontró un planeta utilizando predicciones matemáticas en lugar de métodos más tradicionales.

Magia planetaria moderna

Cuando consideramos los planetas y el sistema solar, podemos fácilmente descartarlos como influencias potenciales y menoscabar su papel en nuestras vidas. Los conceptos planetarios que utilizamos a menudo se convierten en algo tan común que olvidamos su origen. El estudio de la magia planetaria le ayuda a reconocer lo importantes e influyentes que son y han sido siempre los planetas.

Ya hemos hablado de su influencia en los grimorios y en las prácticas mágicas que contienen. Sin embargo, hay múltiples ejemplos de influencia planetaria en la mayoría de las religiones y en la magia tradicional. Los rituales wiccanos suelen centrarse en los planetas, mientras que la Cábala y otros creyentes paganos adoptan alguna forma de magia y poder planetarios.

Los sistemas de creencias más tradicionales se centran en los objetos celestes móviles visibles a simple vista. Emplean un cosmos geocéntrico clásico con la Tierra como centro del universo y una serie de círculos concéntricos cartografiados donde se sitúan los planetas.

La magia planetaria moderna trabaja con la misma filosofía que nuestros antepasados. Los cuerpos celestes en el cielo son un espectáculo milagroso, incluso hoy en día cuando más seres humanos que nunca han visitado y explorado la superficie de estos planetas. La magia planetaria consiste en explorar la sinergia entre los planetas y la humanidad y seguir los patrones que nos muestran.

La magia planetaria se ocupa de vivir con estas maravillas celestes *como si vivieran a nuestro lado*. Se trata de utilizar rituales, invocaciones y talismanes para aprovechar la energía que poseen y formar una fuerte conexión a través de la magia para invitarles a compartir su energía como ayuda y alcanzar su realidad externa preferida. No los considere enormes trozos de roca o lugares solares gaseosos en el cielo. En su lugar, considérelos como estados individuales de conciencia o campos de energía vibracional a la espera de que trabaje con ellos para lograr sus objetivos finales.

La magia planetaria comienza con su relación básica con los planetas y le ayuda a entender cómo fortalecer los lazos con sus fuentes de energía preferidas. La mejor manera de comenzar su viaje es tener una carta natal detallada para entender en qué casa nació y dónde estaban los planetas en ese momento. Al conseguir su carta astral, también señala su intención de alinearse con el plano astral y comenzar una nueva relación. Al igual que en las relaciones normales, debe hacer saber a la otra parte o partes que está a bordo.

Cuando reciba su carta astral, ésta le proporcionará la información que necesita para saber hacia qué planetas se siente atraído. Puede que tenga un Saturno debilitado en su casa y, sin embargo, sienta que tiene una conexión con las energías del planeta anillado. Puede trabajar en su conexión y convertirlo de un planeta debilitado a uno de sus aliados más fuertes.

La otra forma de verlo es identificar qué planetas son naturalmente fuertes en su carta natal y mejorar la conexión que ya tiene. Como en la vida, la decisión es suya. No hay un mapa establecido para la magia planetaria, así que guíese por sus instintos y prepárese para todo lo que encuentre. Las energías y poderes que provienen de los planetas también tienen un robusto sentido de la diversión y lo emplearán para hacer de su viaje hacia la plenitud uno maravilloso, lleno de alineaciones con ellos.

A medida que desarrolle sus relaciones con los planetas, conectará más profundamente con usted mismo. Abrace el conocimiento gnóstico en su subconsciente y conviértase en uno con el mundo. Se convertirá en un ser más feliz, equilibrado y esotérico cuando se deje guiar por el plano astral.

Capítulo 2: Los planetas y usted

Ya hemos hablado de su relación con los planetas y de lo importante que es que su carta natal y astral le ayuden a decidir con qué planetas trabajar. Este capítulo trata de la interpretación de sus cartas y de cómo y cuándo consultarlas.

¿Qué son las cartas natales?

¿A veces le gustaría tener un manual de instrucciones para su vida? ¿Un plano que le ayude a navegar por la Tierra? He aquí una buena noticia. Ya lo tiene. Su carta astral es una imagen del sistema solar en el momento exacto de su nacimiento. Piense que el reloj cósmico se detuvo en el instante en que nació y se tomó una fotografía instantánea del cielo en ese momento. La imagen se toma desde un punto privilegiado: la Tierra.

Aunque su carta astral nunca cambia, sí lo hacen las influencias que la afectan. Evolucionan y cambian constantemente, y estas fuerzas le indican qué energías debe utilizar. En el pasado, las cartas natales se dibujaban a mano y se calculaban con fórmulas matemáticas tradicionales. Sin embargo, la evolución de los recursos en línea permite calcularlas teniendo en cuenta los husos horarios y las variaciones horarias.

Aunque existen distintos tipos de cartas, la mayoría se ciñen a la misma fórmula. Aun así, pueden tener un aspecto completamente diferente debido a sus estilos artísticos. Puede que prefiera un diseño sencillo o que elija un estilo elaborado que incorpore todos los colores, signos y símbolos del zodiaco junto con imágenes planetarias. La elección es suya, pero recuerde que la información que le proporciona es decisiva para cambiar su vida, y no tanto el aspecto elegante de su carta.

¿Qué aspecto tiene una carta natal?

Ejemplo de carta natal

En primer lugar, se empieza con una rueda dividida en doce secciones para representar los signos del zodiaco. Cada sección ocupa 30 grados para completar los 360 grados del círculo. Ahora añada los símbolos en sentido contrario a las agujas del reloj en el siguiente orden:

- Aries rojo para un signo de fuego
- Tauro verde para un signo de tierra
- Géminis amarillo para un signo de aire
- Cáncer azul para un signo de agua
- Leo rojo para un signo de fuego

- Virgo verde para un signo de tierra
- Libra amarillo para un signo de aire
- Escorpio azul para un signo de agua
- Sagitario rojo para un signo de fuego
- Capricornio verde para un signo de tierra
- Acuario amarillo para un signo de aire
- Piscis azul para un signo de agua

Las cuñas creadas dentro de la carta se denominan casas y serán las áreas focales de la carta. Un astrólogo trazará su hora y lugar de nacimiento para crear un patrón único en la carta. Si no tiene una hora de nacimiento definida en su partida de nacimiento, intente ponerse en contacto con la oficina de Registro Civil de su zona o elija una hora cerca del mediodía para introducir una hora relevante. No se desilusione si no tiene una hora de nacimiento correcta; aún puede obtener información con sólo su fecha y ubicación.

Ahora el astrólogo añadirá todas las colocaciones planetarias de su hora de nacimiento. Incluirá los planetas personales Sol, Luna, Mercurio, Venus y Marte antes que los planetas exteriores Júpiter, Saturno, Urano, Neptuno y Plutón. Dependiendo de los cielos, puede incluir asteroides que fueran relevantes en ese momento, como Vértice, Juno o Quirón.

Ahora ya tiene los elementos básicos que puede añadir. Para crear su carta astral, el astrólogo añadirá una serie de líneas que unen los planetas con longitudes, ángulos y colores variables. Incluyen:

- Elementos
- Modos, cardinal, fijo y mutable
- Signos
- Planetas
- Casas
- Aspectos
- Nodos, Sur y Norte

Qué buscará un astrólogo en su Carta Natal

- En qué casa y signo se encuentra cada uno de los planetas
- Aspectos y ángulos que se forman entre los planetas
- Identificación de cualquier stellium; cuando tres planetas se encuentran en un signo
- El equilibrio elemental
- Cualidades y signos fijos
- Patrones formados por los planetas
- Áreas que necesitan trabajo para crear un equilibrio en su vida

Lo que su Carta Natal le ayudará a descubrir

Qué camino profesional debe seguir

¿Siente que está en el trabajo equivocado y que, en algún momento, necesitará buscar una nueva carrera, pero no está seguro de qué camino tomará? Su carta astral le ayudará a iluminar su futuro y a encontrar una carrera que se adapte a sus puntos fuertes y a sus necesidades económicas. No todos somos exigentes, pero todos necesitamos ganar suficiente dinero para vivir cómodamente. Puede que su trayectoria profesional sea tan individual que ni siquiera se lo haya planteado en el pasado. Su carta natal le ayudará a identificar su individualidad y cómo puede llevarla al lugar de trabajo. También le dará más confianza para cambiar su vida.

Le dice la verdad sobre usted mismo

Es propio de la naturaleza humana centrarse en las cualidades de las personas y pasar por alto sus defectos. Como resultado, a menudo tenemos una visión desequilibrada de nosotros mismos y de los demás. Su carta natal no endulzará sus debilidades ni inflará sus cualidades. La información detallada que conocerá le ayudará a trabajar sus debilidades y a fortalecer sus cualidades. No lo tome como algo personal y aprenda a ser más resistente a la verdad. La información le ayudará a aprender a reconocer a quién y qué debe evitar y le ayudará a reconocer los aspectos positivos y negativos de su personalidad.

Le informará sobre sus tres signos

Su carta natal le indica sus signos Solar, Lunar y Ascendente. Probablemente conozca su signo solar, que es su signo zodiacal. Por ejemplo, si nació el 6 de abril, es Aries. Sin embargo, conocer su Luna y su signo solar ascendente es igual de importante para su carta astral.

Para descubrir su verdadera personalidad, necesita conocer su signo lunar. Éste es su yo instintivo y es la parte de usted que tiende a ocultarle al mundo. Todos tenemos instintos básicos que pueden ser oscuros e inexplicables. No puede deshacerse de ellos, pero saber cuáles son le ayudará a crecer. Su signo lunar también es el lugar al que se retira cuando necesita escapar del estrés de la vida cotidiana. Algunos astrólogos se centran más en el signo lunar porque creen que proporciona un sentido más verdadero de uno mismo.

Su signo ascendente es como le ve la gente a primera vista. Es la persona que proyecta al mundo y la forma en que lo perciben. Algunas personas tienen el mismo signo solar y ascendente, mientras que otras pueden ser polos opuestos.

Le ayudará a entender cómo los planetas afectan su energía y forman su personalidad

Su signo solar es sólo la primera capa de su yo. Es posible que se haya descrito a sí mismo como un típico Aries, o que cuando hace algo diga: «Eso es tan propio de un Aries». Sin embargo, al estudiar su carta astral, descubre los secretos mismos de su alma. Puede sonar bastante dramático, pero es cierto. Adquirirá un conocimiento más profundo de quién es y de lo que significa realmente la alineación de los planetas en el momento de su nacimiento. En la parte izquierda de su carta natal hay una lista de las posiciones de todos los planetas y el signo zodiacal dominante cuando nació. Esto le da una idea de sus nodos. El nodo Norte representa las experiencias que necesita para realizarse espiritualmente. Por el contrario, el nodo Sur muestra sus talentos naturales junto con sus habilidades ya dominadas.

Debido a que la Tierra gira, los planetas cambian constantemente de casa. Determinar dónde estaban situados cuando usted nació le ayudará a entender por qué se siente atraído por determinadas personas. Otras le resultan tan extrañas que bien podrían haber nacido en otro planeta. ¿Sabía que, debido a este cambio constante, incluso los gemelos nacidos con sólo unos minutos de diferencia pueden tener personalidades completamente distintas?

Su carta astral le mostrará las lecciones del alma a las que se enfrentará en el futuro

Su viaje por la vida debería ser positivo y parecerse a una metamorfosis de una humilde oruga a una impresionante mariposa, pero todos sabemos que eso no siempre ocurre. Si puede reconocer las lecciones que aprendió en sus vidas pasadas y emplearlas en su vida presente, tendrá menos probabilidades de fracasar. Tiene que identificar los traumas del pasado y el karma atraído para poder superarlos. ¿Qué hay en el camino de su alma y qué hará para que su viaje sea menos traumático y pueda alcanzar sus objetivos?

La mayoría de las personas crean cartas astrales nuevas el día de Año Nuevo o de su cumpleaños para que les sirvan de guía durante el año siguiente. Se denominan cartas de tránsito, y un astrólogo cualificado comparará y contrastará su carta natal original y la carta de tránsito para ayudarle a planificar el futuro. Tener esta previsión permite saber qué hacer y cuándo hacerlo. Si planea un viaje o un acontecimiento especial, puede comprobar con una carta de tránsitos si los astros están alineados favorablemente.

Otros tipos de cartas

Cartas de compatibilidad

Basta de intentar conocer a alguien haciendo que les lean sus cartas. Hay dos formas de hacerlo: una carta de sinastría, en la que se comparan las cartas individuales en busca de compatibilidad y contrastes, mientras que una carta compuesta es un esfuerzo conjunto que compara los puntos en los que se encuentran, respecto a su compatibilidad. La relación se trata como entidades separadas y crea una personalidad conjunta con las psiques de dos individuos.

Cartas de previsión anual

Si tiene un año ajetreado o quiere saber cuándo hacer cambios significativos, haga una carta que empiece en la fecha de hoy y trace un mapa de los próximos doce meses para ver lo más destacado y las dificultades.

Gráfico védico

Si quiere una visión aún más amplia, eche un vistazo a las cartas que adoptan una perspectiva diferente; las cartas de la astrología védica y china trabajan con diferentes energías y datos, y calculan su carta con un método alternativo.

¿Cuáles son las dignidades de los planetas?

Dentro de su carta, obtendrá un domicilio o posición de origen. Un planeta con Dignidad Domal reside en el mismo signo que rige. Cuando se sitúa en el signo opuesto al que rige, se describe como en detrimento o exilio. Cuando está exaltado, se encuentra en un lugar de conciencia, mientras que cuando está en caída, es la oposición de exaltado. No se preocupe demasiado por estos términos, ya que daremos más detalles cuando empecemos a examinar los signos y planetas individuales.

Ser consciente de la posición de los planetas le orientará sobre qué energías debe utilizar y cuáles necesita trabajar más. No piense que encontrar un planeta en detrimento o caída es mala suerte. Significa que encontrará retos y que tendrá que superar obstáculos. ¿Es algo malo? La respuesta corta es NO. Al reconocer estos planetas adversos, puede abordarlos con resolución, lo que forja su carácter y mejora su autoestima.

Trabajar en sus planetas en detrimento y caída requerirá determinación, pero aumentará su fuerza cósmica. Piense en el trabajo que realiza como una fisioterapia cósmica y haga que su músculo cósmico sea más fuerte y eficaz.

Los planetas exaltados y domiciliados son sus planetas positivos; las áreas exaltadas son donde realmente puede brillar. Las áreas exaltadas son sus habilidades y puntos fuertes innatos. Puede que ya conozca sus excelentes cualidades, o puede que le sorprendan. Su carta astral destacará lo que le resulta natural y dónde tiene un pozo natural de energía y talento.

Sus planetas que están en su casa le darán paz interior. Son sus parientes y se sentirá completamente a gusto en las zonas que gobiernan. Cuando usted y sus planetas domiciliados se combinan, hay una doble dosis de energía y fuerza.

El efecto de los planetas sobre los humanos

Esto es sólo un resumen básico de lo que puede esperar del resto del libro. Todos los planetas desempeñan un papel en la astrología, la magia y las predicciones. Si descomponemos nuestros cuerpos, encontramos qué están hechos de elementos físicos como los átomos que reaccionan a efectos químicos y físicos al igual que los planetas. No hay duda de que el universo es una masa próspera de conexiones y elementos que causan reacciones y efectos en nuestros seres físicos. Los ciclos astrales y los planetas que existen a millones de kilómetros por encima de nosotros forman parte de un universo primordial en el que hasta el átomo más pequeño puede verse afectado por los enormes planetas giratorios del cielo.

Consideremos ahora el alma. Puede llamarla conciencia o espíritu, pero nadie puede discutir que todos tenemos algo que nos hace brillar. Sin esta parte metafísica, no seríamos más que robots sin personalidad que sólo existen para realizar tareas. Si nuestros cuerpos físicos se ven afectados por los ciclos astrales, ¿no se deduce que nuestras almas reaccionarán a la atracción gravitatoria, lo que afecta cómo pensamos y, a su vez, ¿cómo actuamos?

Los siete planetas tienen existencia física y pueden verse. El Sol y la Luna son luminarias que emiten luz y aportan resplandor a nuestras vidas, mientras que Saturno y Júpiter son planetas de movimiento lento. Cada planeta tiene sus puntos fuertes y sus poderes, y es relevante para nosotros dependiendo de su posición en el momento de nuestro nacimiento y a lo largo de nuestro tiempo en la Tierra.

Hablaremos de los detalles más intrincados de cada planeta más adelante, pero aquí puede conocer los planetas como si fueran un grupo de amigos, en lo que se convertirán a medida que estudie más magia planetaria.

Saturno

Este planeta es el más alejado del Sol y es conocido por su energía refrescante y seca. Representa a los adultos mayores y es conocido como un planeta sabio y erudito. En una posición beneficiosa en su carta, trae riqueza y fama, pero en una posición perjudicial o de caída, indica pérdida, tristeza, indigencia y obstáculos en la vida. Es una fuerza de enseñanza que recompensará a los buenos estudiantes y castigará a los que no aprendan.

Marte

Este planeta ferozmente masculino se define por sù color rojo. En el descendente, indica una mente técnica y un temperamento explosivo. En su casa, Marte indica carreras que requieren valor y confianza en uno mismo, como el ejército, la política, los agentes inmobiliarios, los trabajadores de la construcción y los cirujanos. En la posición ascendente, representa una mente joven, pero en la descendente, significa agresividad e ira que pueden conducir a situaciones estresantes y a la incapacidad para resolver conflictos.

Júpiter

Como planeta más grande del sistema solar, Júpiter es un maestro bondadoso y benévolo. Si se le coloca en una posición beneficiosa, trae suerte y moralidad y a menudo indica éxito y generosidad. Sacerdotes, maestros y líderes suelen tener a Júpiter como influencia planetaria exaltada. Si se encuentra en una posición perjudicial, puede significar depresión, pesimismo y fatiga. Cuando una mujer tiene a Júpiter en detrimento, puede volverse arrogante y difícil de tratar.

Mercurio

Este planeta rige la comunicación, y cuando está en una posición favorable, puede significar carreras en los medios de comunicación, escritura, astrología y la bolsa. Las personas con Mercurio en posición exaltada serán encantadoras y astutas; tomarán buenas decisiones en el momento adecuado. Mercurio es el planeta de la lógica y afectará al razonamiento y a la capacidad de análisis.

Venus

El Lucero del Alba es el planeta del amor, el sexo, la belleza y todo lo creativo. Brilla más que ningún otro planeta e indica carreras en hotelería, turismo, teatro, música y oficios artísticos y creativos. La posición de Venus en su carta natal influye en su capacidad para tener una vida amorosa o una relación exitosa, y su energía le ayudará a ser más sensual. En una mala posición, significa un fracaso para tener relaciones exitosas.

El Sol

Como fuente de todo poder, el Sol es el señor extremo y todopoderoso del sistema solar. Es el combustible que todos necesitamos para vivir y, como tal, se encuentra en una posición beneficiosa. Aporta poder y reconocimiento y suele ocupar un lugar destacado en las cartas astrales de políticos y líderes mundiales de éxito. Por el contrario, aporta arrogancia e inestabilidad emocional en posiciones adversas que pueden conducir a la humillación y al pesimismo.

La Luna

El planeta lunar es una fuerte energía femenina que habla directamente a sus emociones y sentimientos. Como Reina del sistema solar, traerá amor, poder, éxito financiero y calma a aquellos que se encuentren en una posición beneficiosa, mientras que traerá depresión y pesimismo a las personas que la tengan en caída.

El Sol y la Luna son como los ojos del universo, y se combinan con los otros cinco planetas para formar nuestro universo.

Capítulo 3: Brille con el Sol

No hay mejor lugar para empezar que con el gran padre del sistema solar, el jefe del universo y la fuerza que alimenta nuestra vida, el Sol. Representa nuestra identidad y cómo encendemos nuestra propia llama en el mundo, cómo brillamos y cómo nos expresamos. Representa su relación con el padre y es la estrella alrededor de la cual giran todos los demás planetas, por lo que es la figura paterna por excelencia.

Se representa con un círculo de potencial ilimitado, a menudo con un ojo en el centro. En algunos glifos y símbolos, las llamas que rodean al Sol parecen enmarcar su rostro y lo hacen parecer más humano. El punto u ojo en el centro del círculo representa su punto focal y le da un objetivo al que apuntar.

Aunque no hay signos zodiacales favorecidos, el Sol es una adición bienvenida a su carta natal, y cuando se encuentra en su casa aporta gran poder y prosperidad.

El Sol está

En su casa en Leo

En detrimento en Acuario

Exaltado en Aries

En caída en Libra

Planetas maléficos y benéficos

El concepto de planetas maléficos y benéficos es una parte importante de un horóscopo detallado, y la mayoría de la gente se olvida de que existen dos tipos de planetas, maléficos y benéficos. Pueden ser funcionales o naturales, y existen ciertas reglas a la hora de analizar su estado en función de su relación con otros planetas.

El Sol es un planeta benéfico funcional para Aries, Leo, Escorpio y Sagitario.

Es un planeta maléfico funcional en Virgo, Capricornio y Piscis.

El Sol es un maléfico natural, pero no es tan dañino como otras influencias maléficas, por ejemplo, la de Júpiter.

Estos aspectos de los planetas se originaron en la astrología védica. Sin embargo, a medida que demandamos más información, los astrólogos occidentales también los han adoptado para que las lecturas sean más profundas y precisas.

¿Qué significa el Sol en términos astrales?

Es su yo consciente y representa su carácter. Si el Sol es fuerte en su carta natal, indica su trayectoria vital. Rige el corazón y la columna vertebral y es significativo de su fuerza interior. Cuando es fuerte en signos de aire como Géminis y Acuario, significa que creen que sus pensamientos y creencias son tan tangibles como los objetos sólidos.

Rasgos clave y tipos de personalidad

- **Fuerza de voluntad:** Los signos de Sol no retrocederán sin luchar; creen en sí mismos y lucharán a pesar de la oposición.

- **Determinación:** Si quiere que alguien haga un trabajo, pídale a un signo solar que se ponga manos a la obra, cualquier obstáculo lo afrontará con entereza y resolución.

- **Dignidad:** Los signos solares se sienten orgullosos de sí mismos y de sus creencias, pero no recurrirán a los malos modales o a ser groseros para transmitir su opinión. Cuando se enfrenten a este tipo de comportamiento, mantendrán la calma.

- **Vitalidad:** Los signos solares están llenos de energía y listos para poner en marcha sus motores siempre que se necesite.

- **Lealtad:** Cuando tiene un amigo, está a su lado en las buenas y en las malas.

- **Fortaleza:** Los signos solares pueden seguir adelante cuando otros se han dado por vencidos y, lo que es más importante, también inspiran a los demás a seguir adelante.

- **Fortaleza:** Son fuertes física y mentalmente y trabajan duro para mantenerse en forma.

- **Positividad:** Tienen una visión del vaso medio lleno y su positividad es contagiosa. No se puede ser pesimista en su compañía.

- **Liderazgo:** Les encanta liderar desde el frente y no tienen problemas con la responsabilidad.

- **Valentía:** Nunca se echan atrás ante los problemas, por difícil que sea la situación, y siguen adelante, aunque teman el resultado.

- **Arrogancia:** Debido a que son súper seguros y creen en sí mismos y en sus creencias, puede llegar a parecer arrogantes.

- **Egocéntricos:** Los signos solares se ponen a sí mismos en primer lugar porque creen que es el lugar que les corresponde. Se cuidan a sí mismos para asegurarse de estar cerca para ayudar a los demás.

- **Individualismo:** No siguen el juego como la mayoría de la gente y les encanta romper las tendencias. Los signos solares tienen una confianza en sí mismos que les permite ser individuales, impresión que les encanta dar.

Aunque el Sol transita hacia un nuevo signo cada mes, esto no significa que usted cambie. Sí significa que las áreas de su vida representadas por las casas deben ser reconocidas y trabajadas. Por ejemplo, en la primera casa, está en el signo de Aries, lo que significa que debe centrarse en su fuerza física. Le dice que sea más activo y cuide su cuerpo cambiando su dieta y aumentando sus actividades. Es más probable que le interese cambiar su aspecto y verse más atractivo.

En la segunda casa, brilla sobre el signo Tauro y se concentra más en los asuntos financieros. Le sugiere que se replantee las inversiones y las compras que le ayudarán a ser más próspero. Puede animarle a comprar piezas decorativas clave como esculturas y cuadros como inversión y personalizar su entorno.

En la tercera casa, Géminis, se centrará en sus habilidades de comunicación. Se animará a hacerse oír más y ser más vocal en el lugar de trabajo, mejorar sus habilidades de comunicación y ser más erudito.

Deidades solares

Desde el principio de los tiempos, los humanos han sido conscientes del poder del Sol y han adorado a deidades asociadas a él. Éstas son algunas de las deidades más veneradas en distintas culturas:

Mitología celta

Grannus, el dios de los manantiales curativos y los balnearios

Lugh es una deidad irlandesa asociada al Sol

Mitología egipcia

Basteth, la diosa gata con conexiones solares

Horus, el dios de los cielos, cuyo ojo derecho representaba el sol y el izquierdo la luna.

Ra fue el dios solar más poderoso de la época egipcia

Mitología griega

Apolo, el dios del Olimpo responsable del sol, la profecía y la curación

Helios, el dios griego de los Titanes responsable del sol

Hinduismo

Aryaman y Saranyu, dios y diosa de los cielos, el sol y el amanecer

Surya, el dios de la energía solar

Mitología maya

Ah Kin, el dios responsable de expulsar la oscuridad y traer el sol

Hunahpú era uno de los Héroes Gemelos mayas; fue creado como el sol, mientras que su hermano fue creado como la luna.

Mitología nativa norteamericana

Wi, el dios del sol

Mitología nórdica

Freyr, la diosa del amanecer, la sexualidad y la fertilidad

Baldr, dios de la luz

Mitología romana

Aurora, poderosa diosa del amanecer

Sol, dios supremo del sol

Palabras clave de la magia solar

Cuando lance un hechizo o cree conjuros para invocar el poder del sol, ciertas palabras le ayudarán con su intención.

Utilice estas palabras para mejorar su trabajo y llenarlo de energía solar

- Brillante
- Calor
- Salud
- Confianza
- Amanecer
- Energía
- Fortuna
- Resplandor
- Solar
- Profundo
- Potente
- Faro
- Brillo
- Coruscación
- Efulgencia
- Emanación
- Llamarada

Animales relacionados con el Sol

El mundo animal sabe instintivamente qué planeta y qué energía representan. Nacen con un poder inherente que nos ayuda a conectar con ellos y a formar vínculos inquebrantables. Todo el mundo tiene animales espirituales, pero la mayoría de la gente cree que elige con qué animal alinearse. No tiene elección en el asunto, sus animales espirituales o tótems animales le eligen a usted.

Se alinean con su energía que puede estar vinculada a sus conexiones planetarias. Saber que tiene una fuerte asociación con el Sol significa que instintivamente se sentirá atraído por ciertos animales. Si espera trabajar con el Sol porque está en una posición menos fuerte, aún puede utilizar el reino animal para aprender qué fortalezas y cualidades aportan estos animales conectados con el Sol.

Algunas relaciones con los animales serán estacionales, y eso está bien. Al igual que cambia su dieta y su ropa con las estaciones, algunos animales serán más relevantes en determinadas épocas del año. No intente forzar una relación con ellos. Deje que entren en su vida cuando los necesite. Los animales solares le llenarán de inspiración y energía para guiarle en su camino hacia la realización personal.

Animales solares

El Carnero

Símbolo de Aries y uno de los símbolos más masculinos del zodíaco. Representan la pasión y la potencia mezcladas con la fogosidad y la falta de miedo. Se precipitan sin pensar, pero confían en su fuerza y fortaleza. En modos más tranquilos, son inteligentes y creativos.

La salamandra

Este anfibio ha representado el fuego y la luz desde los tiempos de la mitología griega y romana. Aunque es de sangre fría, representa el fuego en los mitos, y existe una antigua historia de salamandras que duermen en volcanes inactivos. Cuando el volcán entra en erupción, se dice que indica la ira de la salamandra.

El león

Como rey de la selva, el león es la representación animal obvia del objeto más poderoso del sistema solar. Es un signo de liderazgo, valor y sabiduría. Cuando es necesario, el león gobierna con compasión y un fuerte sentido de la lealtad y la ferocidad. Luchará por su territorio y su manada y los protegerá con su vida.

También representa el lado más noble de las emociones humanas y la alegría de la benevolencia. Es la luz dorada que brilla en el mundo animal y el máximo protector de los secretos.

Gallo

En las culturas orientales, los gallos son muy apreciados y representan el valor y el espíritu competitivo. Son aguerridos y valientes, y en los templos japoneses es frecuente encontrarlos corriendo en libertad. Occidente ha adoptado al gallo para proteger sus hogares, y es frecuente verlos decorando veletas o aldabas.

Dragones

En la filosofía china, el dragón es un maestro de autoridad y representa la conexión definitiva entre los animales y la humanidad. Son cálidos pero feroces, y simbolizan la buena suerte. Los dragones también forman una conexión con nuestros antepasados, por lo que podemos beneficiarnos de su sabiduría y guía.

Cisnes

Estas magníficas aves pueden parecer animales solares inverosímiles, con sus frías plumas blancas y su porte altivo. Al observarlos en la naturaleza, su verdadero poder se hace más evidente. Se sienten totalmente a gusto en el agua, pero pueden surcar los cielos con confianza. En términos astrales, representan el aspecto solar del amor y el romance. Su gracia y belleza le ayudarán cuando tenga problemas en sus relaciones y necesite orientación solar.

Arañas

Cuántas veces se ha cruzado una araña en su camino y se ha limitado a apartarla. Las arañas son animales solares y simbolizan el trabajo duro, el empuje y los logros. Cuando se le aparecen, son una señal de que necesita ayuda para realizar ciertas tareas que pueden resultar difíciles. Le ayudan a darse cuenta de que la vida no siempre es un camino de rosas y que tiene que realizar tareas para ayudar a los demás. Las arañas son enviadas para recordarle que obtenemos mejores resultados cuando trabajamos todos juntos.

Pavos reales

El ejemplo más noble del mundo aviar, estos extravagantes pájaros son regios y hermosos. Representan las cualidades más admiradas que todos queremos alcanzar: gloria, visión, sabiduría, confianza en uno mismo y vitalidad. Brillan de forma vistosa y magnífica, animándonos a irradiar fuerza y belleza y a brillar a nuestra manera. Inspiran confianza y aportan alegría y felicidad. En las culturas norteamericanas, las plumas de pavo real se utilizan para tratar enfermedades y desempeñan un papel en rituales y hechizos curativos. Los curanderos utilizan las plumas de pavo real para despertar el sentido espiritual y fomentar la clarividencia.

Colores asociados a los signos solares

Como principal fuente de luz, los colores asociados a la energía solar son brillantes y claros. El naranja, el amarillo y el dorado son las opciones obvias, pero también puede utilizar colores asociados con el amanecer y el atardecer. El rosa pálido, el morado, el azul claro y el rojo también forman parte del espectro solar.

Cristales asociados con el Sol

Piedra de sangre

El cristal de piedra de sangre es la piedra del coraje y le ayudará a realizar rituales y hechizos de protección. Lo enraizará y le dará la fuerza para hablar cuando sienta que otros le están sometiendo. Le ayudará a trabajar en el momento y a desterrar la confusión y las fuerzas externas negativas.

Rubí

Esta piedra de color rojo intenso aporta alegría y riqueza y desata su pasión. Se utiliza para atraer la positividad y la risa. Utilice el rubí para establecer sus verdaderas intenciones y alcanzar sus objetivos. Favorece la salud del corazón y la confianza.

Citrino

Fomenta la creatividad y la confianza en uno mismo, estimula el cerebro y favorece el pensamiento claro y la motivación. Utilícelo para aumentar la confianza en usted mismo y expresarse sin miedo.

Cuarzo Cristal

Esta piedra curativa maestra puede armonizar sus chakras y ayudarle a conectar con las energías superiores. Revitaliza sus fuerzas emocionales y espirituales y le permite recargar las pilas.

Los metales relacionados con las energías solares son el cobre y el oro. Los talismanes y amuletos fabricados con estos metales y decorados con rubíes le aportarán fuerza y buena suerte.

¿Qué alimentos les gustan a los signos solares?

La astrología alimentaria es un concepto relativamente nuevo, pero si tiene en cuenta lo que le dice su carta natal, ¿por qué no incluir la comida? Usted es su alimento, y la astrología no es más que otra forma de adaptarse a su yo planetario.

Si tiene un Sol fuerte, le atraerán los alimentos aromáticos picantes con chiles y jengibre. Deben estar bien cocinados, y los signos solares no comen alimentos que no sean visual y físicamente atractivos. Los *parathas* indios con comino y semillas de mostaza serán más apetecibles que el pan normal, servidos con mantequilla y encurtidos.

Si quiere fortalecer su Sol, coma mucha fruta como naranjas, melocotones, ciruelas y alimentos picantes. Los alimentos asiáticos que le hacen sudar le ayudarán a aumentar su energía solar. Reduzca la sal de su dieta para sentirse más enérgico y poderoso.

Los mejores momentos para trabajar con la energía solar

La magia solar debe realizarse cuando el momento apropiado corresponda al hechizo.

El amanecer es el momento de realizar rituales de nuevos comienzos y renacimiento. A medida que el sol se asoma por el horizonte, realice rituales solares para limpiar su espíritu y hacer renacer su energía para el día.

Durante la mañana, puede realizar actos que promuevan la armonía y la felicidad y empezar a construir nuevos planes para su futuro. Obtenga energía positiva y establezca propósitos para hacer su vida más próspera y llena de alegría.

Al mediodía, trabaje con el sol para traer magia y salud a su hogar. También es un buen momento para cargar sus herramientas mágicas y gemas (compruebe que son aptas antes de dejarlas a pleno sol).

La tarde es el momento de concentrarse en asuntos más de negocios. Trabaje para mejorar los planes de viaje y exploración o cualquier cosa relacionada con su trabajo o carrera.

La puesta de sol es el momento de realizar rituales de desprendimiento. Relájese y deje ir el estrés y la depresión mientras el sol desaparece tras el horizonte para entrar en un estado de oscuridad.

Cómo hacer magia solar

La mayoría de los creyentes mágicos se centran en la Luna y en el poder lunar. A las brujas lunares les encanta trabajar bajo la luz plateada de la Luna, pero se están perdiendo la poderosa fuerza de la luz solar.

He aquí algunas formas de utilizar el poder solar que aparece en su vida cada día.

Tomar el sol

Los rayos UV son saludables, siempre que sea sensato. Los signos solares se sienten deprimidos cuando no les da la luz del sol, así que oblíguese a salir a tomar ese sol curativo. Túmbese en la hierba y ponga la cara al sol. Póngase crema solar y gafas para protegerse la piel y los ojos, ¡y a tomar el sol!

Agua de sol

Todo el mundo conoce el poder del agua de luna, pero el agua solar también es perfecta para limpiar su altar, sus herramientas y a usted mismo. Deje un recipiente de cristal lleno de agua al sol para que se cargue y luego añádala al agua del baño para un baño refrescante y purificador.

Llene su espacio de plantas solares

Si tiene jardín, cultive plantas relacionadas con los elementos solares y el fuego. Las margaritas, los girasoles, el romero y la ruda son sencillas de cultivar y crecen bien en tierra normal o en macetas. Si no tiene jardín, elija plantas de interior que le conecten con la energía solar.

Beba té helado al sol

Cuando ha estado tomando el sol, necesita reponer agua en su organismo. ¿Por qué no hacer aún más mágica esa bebida infusionándola con hierbas e infusiones a base de sol? Tome una jarra de cristal y llénela parcialmente de agua. Añade estevia, menta, una bolsita de infusión y una ramita de manzanilla. Tápelo bien y déjala al sol para que se infusione durante dos horas. Cuando se haya enfriado, vierta el contenido sobre hielo y bébalo. Es mágico y beneficioso.

Trabaje el plexo solar

La masa de nervios de la boca del estómago puede considerarse el centro de control de los órganos del abdomen. La energía solar es especialmente importante para el plexo solar, ya que es el tercer chakra, regido por el sol. Fortalézcalo con ejercicio y estiramientos regulares para asegurarse de que se mantiene sano y de que su abdomen sigue funcionando.

Cree manualidades inspiradas en el sol

Haga atrapasoles y prismas para colgar en casa. Utilice los colores relacionados con el sol y atrape la luz. Si prefiere la magia en la cocina, utilice plantas y alimentos relacionados con el sol. Cree pan con forma de sol o utilice tomates secos para hacer más sabrosa su comida.

El Sol está con nosotros todos los días y, sin embargo, lo damos por sentado. Utilice las conexiones solares para hacer su vida más alegre e iluminada.

Capítulo 4: Ir más allá de la Luna con la magia

En astrología y magia, la Luna es la madre del universo. Ella es el poder detrás de nuestras naturalezas más básicas e instintos de supervivencia, tan arraigados que no los reconocemos. Es el planeta de las emociones y los sentimientos, y cuando trabaje con magia lunar, fortalecerá su bienestar físico y psicológico.

Es el satélite más grande del universo y está intrínsecamente ligado a la Tierra. No importa en qué parte del mundo nos encontremos, siempre vemos la misma cara de la Luna debido a la atracción gravitatoria y a la alineación de los periodos orbitales. Está unida al Sol para crear un dúo celeste que representa la dualidad definitiva cuando el día desaparece y se convierte en noche. Esta transición aparentemente sin esfuerzo significa que ambos simbolizan los mundos superior e inferior. La Luna es la mitad femenina de la unión y está vinculada a todos los aspectos femeninos. Es la reguladora de los ciclos de la mujer y de la fertilidad de las hembras y las cosechas.

Signos de la Luna

Fases lunares

Véase la página del autor, CC BY-SA 4.0 <https://creativecommons.org/licenses/by-sa/4.0>, vía Wikimedia Commons: https://commons.wikimedia.org/wiki/File:Lunar_phases.svg

El glifo tradicional es la luna creciente, pero como la luna tiene muchos ciclos, también tiene glifos para representar los distintos ciclos. La luna creciente representa el segundo ciclo. Los ocho ciclos son los siguientes

1. La luna nueva está representada por un círculo completo con una estrella de cuatro puntas en el centro.

2. La luna creciente está representada por la media luna mirando hacia la izquierda.

3. La mitad derecha de un círculo representa el primer cuarto.

4. El arco creciente representa la luna creciente con la curva apuntando hacia arriba.

5. Un círculo completo representa la luna llena.

6. La luna menguante tiene el arco hacia abajo.

7. El último cuarto es la mitad izquierda del círculo.

8. El cuarto menguante tiene la luna creciente hacia la derecha.

Las dignidades de la Luna

La luna está en su casa en Cáncer

En detrimento en Capricornio

Exaltada en Tauro

En caída en Escorpio

La Luna es generalmente un planeta benéfico y trae prosperidad y vida a la Tierra. Es benéfica por naturaleza y trabaja con el Sol para crear atmósferas tanto maléficas como benéficas dependiendo de las posiciones de tránsito de los otros planetas. Es el planeta que se desplaza más rápidamente y sólo pasa dos días al mes en las casas del zodíaco, por lo que es aún más importante identificar estos momentos y aprovecharlos bien.

Los rasgos de la Luna

Las conexiones lunares fuertes indican una personalidad afectuosa, compleja y emocionalmente transparente. Puede que lleven el corazón en la manga, pero son compasivos y se interesan por el bienestar de los demás.

Cuando se encuentra en los signos de agua, indica una figura materna profunda y compleja que se preocupa por los demás de forma natural. Muestran empatía y tienen una imaginación vívida que alimenta la creatividad y las habilidades artísticas.

En los signos de fuego, la Luna es señal de una madre que anima a sus vástagos a salir al mundo y explorar. Entienden que el valor y la fuerza ayudarán a los demás a ser más mundanos y a ampliar sus horizontes.

En los signos de Tierra, es más probable que se manifiesten como una figura materna tradicional que cree que la rutina y la seguridad son los cimientos de la vida. Se sienten responsables de los demás y a menudo se sacrifican para cuidar de los demás.

La Luna en signos de aire significa una madre comunicativa a la que le encanta contar historias. Están llenas de historias y relatos de lugares mágicos y personas maravillosas que inspiran la libre expresión.

Deidades lunares

La mayoría de las sociedades occidentales asocian la Luna con las energías femeninas, pero no siempre ha sido así. En las culturas egipcias y orientales, la Luna estaba representada por deidades masculinas. He aquí algunos de los dioses y diosas lunares más conocidos:

- En la mitología griega, Artemisa era la diosa de la Luna, pero en enseñanzas anteriores, la Luna estaba representada por Selene.

- Las enseñanzas tracias también contaban con la diosa Bendis, que reinaba junto a Artemisa y gozaba del favor de las enseñanzas más formales y clásicas. Era popular en Atenas en el siglo IV y aparecía en la cerámica y en los santuarios portando dos lanzas preparadas para la caza.

- En Ciudad de México se descubrió un monumento a la diosa de la luna Coyolxauhqui, que se cree que representa su cuerpo desmembrado tras una batalla contra su hermano y archirrival, el dios del sol Huitzilopochtli. Era la diosa azteca del reino lunar.

- Los romanos adoraban a la diosa Diana, el equivalente romano de Artemisa, y también era conocida como la diosa de la caza. A menudo se la representa con un arco y una flecha, en compañía de un animal del bosque, como un ciervo.

- Heng-o es la diosa china de la luna y residía en un enorme palacio blanco construido con hielo y nieve. Viste túnicas blancas y plateadas y lleva joyas de jade blanco. Tiene un homólogo masculino llamado Thearch, que representa el alma masculina de la luna.

- Khonsu y Thoth eran las deidades egipcias de la Luna. Los egipcios creían que un enorme babuino blanco vivía en la superficie, y que la luna fue creada a partir del ojo izquierdo del dios Horus. Isis era la contraparte femenina de Thoth.

- Tsuki-Yomi es el dios japonés de la Luna y era hermano de la diosa del Sol. En la mitología, mató a otro dios porque ofendió a su hermana, pero ella no estaba de acuerdo con sus acciones, lo que explica por qué los dos planetas están tan distantes.

Palabras clave de la magia lunar

- Iridiscencia
- Rayos
- Plateado
- Emotivo
- Chispeante
- Pino
- Satélite
- Natural
- Ciclo
- Infinito
- Nacarado

Elementos lunares

Los colores asociados a la Luna son el azul, el blanco, el plateado y el rosa suave. Son los colores de la naturaleza, pero también puede usar los colores del Sol porque los dos planetas siempre estarán vinculados. El amarillo y el naranja ayudarán a aportar calidez y energía a su magia y una combinación perfecta de luz y oscuridad.

Las hierbas lunares incluyen incienso, aceite de árbol de té, menta, cítricos, mirto y salvia.

Los cristales para la magia lunar deben corresponder a los diferentes ciclos y son especialmente eficaces cuando se utilizan correctamente. He aquí una guía de los ciclos y los cristales y cómo funcionan en consonancia:

La Luna Nueva

La luna nueva es el primer ciclo y ofrece una pizarra en blanco para establecer sus intenciones. Utilice los cristales para realizar rituales que limpien su mente, establezcan nuevos objetivos y le inspiren para alcanzar el éxito.

La obsidiana negra está llena de energía reflectante que resalta sus pensamientos y esperanzas interiores. Utilícela como un espejo para ver su interior y centrarse en lo que necesita.

La labradorita es el ying del yang de la obsidiana negra. Aporta una energía mágica con destellos de luz y posibilidad. Pone fin a la oscuridad y atrae la magia y la luz.

Manifieste sus intenciones escribiendo sus objetivos e intenciones 108 veces en un papel mientras se concentra en sus cristales. El 108 está relacionado con la energía de la luna y representa la culminación. Unja el papel con su aceite favorito y coloque una vela blanca encima.

La Luna Llena

Es momento de realizar algunas tareas mentales. La luz brillante de la luna llena le ayudará a decidir cuáles de sus intenciones aún merecen la pena. Utilice estos cristales para iluminar su magia:

La **piedra lunar** hace lo que su nombre sugiere y le conecta con la poderosa guía de la energía lunar y hace que su camino sea claro. Lo llenará de la energía espiritual que le ayudará a alcanzar sus metas y manifestar sus necesidades.

La **selenita** le ayuda a aprovechar las energías superiores y captar el poderoso rayo de la luna nueva.

El **cuarzo cristal** le da claridad de pensamiento que le permite trabajar con mayor energía y concentración.

Cristales para el Primer y Tercer Trimestre

Estos son periodos de transición y debe centrarse en combinar las energías oscuras y luminosas que encontrará.

El **cuarzo turmalina** es el cristal de contrapeso perfecto para ayudarle a comprobar sus éxitos y posibles fracasos. No se desanime por los aspectos negativos; simplemente decida si quiere trabajar más al respecto o enviarlos a la papelera de las intenciones. No hay nada malo en reconocer que algunos objetivos no son para usted. Así es la naturaleza humana; no todos podemos ser expertos en todos los campos.

Receta con aceite de Luna

Puede utilizar el aceite de luna para aumentar su potencia cuando ponga sus intenciones por escrito. Use esta receta para crear un aceite fragante y poderoso. Podrá ungir su altar y su trabajo.

Lo que necesita

- Aceite esencial de gardenia
- Aceite esencial de loto
- Aceite esencial de jazmín
- 15 ml de aceite portador, como el de almendras o aguacate

Instrucciones:

Tomar tres partes de gardenia, dos partes de loto y una parte de jazmín y combinar con el aceite portador.

Animales lunares

Los animales asociados a la luna se definen como criaturas que extraen sus atributos de la energía lunar. Los alquimistas trabajan con la conexión entre el agua y la luna, mientras que los astrólogos se centran más en el signo zodiacal de Cáncer. Los animales que aparecen a continuación son indicativos de una combinación de estas cualidades y fuerzas. Suelen ser nocturnos y dependen de la luna para iluminar su entorno habitual. Los animales lunares están relacionados con la fertilidad, los fuertes lazos maternales y son receptivos a los humanos.

El Búho

Uno de los animales más simbólicos asociados a la Luna, el búho representa la sabiduría y la adaptabilidad. Pueden sobrevivir en las situaciones más adversas, se les relaciona con la serenidad y el equilibrio.

El lobo

A menudo representados aullando a la luna, estos magníficos caninos tienen agudos sentidos en la oscuridad. Son uno de los depredadores por excelencia y cazan tanto en solitario como en manada. En la mitología, son los monstruos en los que se convierten los hombres a la luz de la luna, y los hombres lobo están intrínsecamente ligados a ella. Sea cual sea el entorno en el que se encuentren, saben utilizar la naturaleza para prosperar. Los lobos se encuentran en todo tipo de terrenos y parecen capaces de hacerlos habitables.

El murciélago

Estas criaturas nocturnas son también símbolos del mal por su asociación con Drácula y los vampiros. Tienen un aspecto espeluznante y vuelan, por lo que son cazadores y supervivientes exitosos.

El cangrejo

Este organismo acuático está naturalmente asociado a la Luna por representar, en el zodíaco, a Cáncer. Puede vivir en tierra o en agua y es muy hábil para moverse y evitar obstáculos. Simboliza la necesidad de ser más objetivo y más agudo con sus pensamientos. Amplíe sus horizontes y sea valiente. A veces el cangrejo es enviado para advertirle de fuerzas negativas. Tenga cuidado con las personas que no son tan sinceras como creía y sea consciente de que tendrá que poner cara de valiente y lidiar con ellas.

Cuando sueña con cangrejos, el color es importante. Si sueña con un cangrejo rojo, significa que está reprimiendo sus emociones. Deje ir cualquier resentimiento o ira hacia alguien que actualmente le está causando dolor. Déjelo ir. Si sueña con un cangrejo blanco, significa que se encuentra en un lugar donde puede abrazar el amor y las relaciones, la vida es dulce y está recibiendo aprobación para tomar decisiones románticas importantes. Si sueña con un cangrejo muerto, significa que está en crisis. Es hora de levantarse y poner los asuntos en orden.

El delfín

Si alguna vez ha nadado con delfines o los ha visto en libertad, comprenderá la alegría que desprenden estos animales. Son majestuosos y nada amenazadores, pero su risa es llenadora como las maravillas de la naturaleza. Son juguetones y generosos y tienen un majestuoso sentido de la paz. Son inteligentes y sociables, como los humanos, y aportan el valor de la amistad y la comunidad.

Los delfines son mamíferos que viven en el mar, por lo que representan la dualidad de la tierra y el mar. Tienen rasgos solares y lunares y se les conoce como los príncipes del mar. Invocar a los delfines trae energías positivas y gracia a su vida y le harán sentir mejor cuando sea infeliz. Los delfines trabajan juntos para conseguir sus objetivos y su mensaje llega cuando necesita pedir ayuda a los demás. Le recuerdan que, aunque es capaz de hacer grandes cosas solo, también puede trabajar bien en equipo.

Los delfines tienen distintos significados en las distintas culturas y creencias. En los celtas son los guardianes sagrados de los mares, mientras que los cristianos creen que sirven para transportar las almas al cielo. Griegos y romanos solían representar a los delfines como compañeros de sus dioses, como Neptuno, Eros y Cupido.

Cuando los delfines se cruzan en su camino, le traen alegría, felicidad y el recordatorio de que debe equilibrar su vida. Le visitarán cuando esté demasiado concentrado en asuntos serios para recordarle que debe pasar tiempo con sus amigos y familia. Si sueña con un delfín en aguas claras, tiene una vida equilibrada, mientras que si están en aguas turbias, necesita abordar las relaciones negativas de su vida.

Alimentos relacionados con la Luna

Como la Luna es la responsable de su chakra raíz, experimentará dolor de espalda y un mayor letargo si está desequilibrada. Se sentirá deprimido o ansioso y se distraerá con facilidad. Consuma alimentos que potencien su chakra, como:

Verduras de raíz

Chirivías, zanahorias, ajos, remolachas y papas deberían ser un alimento básico diario. Beba té de diente de león o añada cúrcuma a su dieta para aumentar su energía y sentirse más a gusto consigo mismo.

Pimientos picantes

Los pimientos rojos, los pimientos morrones, los serranos y los chipotles añadirán fuego a su comida y aumentarán su energía física. Le ayudarán a ser más consciente de los aspectos físicos de su cuerpo y le animarán a hacer ejercicio.

Carnes rojas

El hierro y las proteínas son importantes para nutrir su chakra raíz, y la carne roja es una fuente clave. Consumidos con moderación, la ternera, el cordero y el venado ecológicos energizarán inmediatamente su chakra.

Huevos

Los huevos también contienen proteínas y minerales para fortalecer su chakra.

Alimentos ricos en proteínas

Si es vegano o vegetariano estricto, aún necesita obtener proteínas, y estos alimentos son ricos en proteínas, pero siguen siendo veganos: El tofu, las judías, los cacahuetes, los anacardos, las semillas y la mantequilla de frutos secos orgánicos le ayudarán a alimentar su chakra raíz.

Alimentos rojos

Su chakra raíz se beneficiará de todos los alimentos rojos como las manzanas, el ruibarbo, los tomates, los arándanos y las uvas.

Rituales lunares para todos

Al iniciar su conexión mágica con la luna, lo mejor es trabajar con la luna llena. La energía lunar es abundante, lo que significa que es más probable que sus rituales funcionen.

Ritual de Luna Llena

1. Siéntese a la luz de la luna llena, ya sea en el interior o en el exterior.

2. Asegúrese de que el espacio está libre de desorden y preparado para recibir la energía natural.

3. Encienda una vela blanca y cierre los ojos.

4. Concéntrese en su respiración y tome un papel en blanco para registrar su experiencia.

5. Escriba lo que siente que le está frenando. Por ejemplo: «Necesito dejar ir una relación pasada». Enumere tantos elementos como quiera y añada tantos o tan pocos detalles como prefiera.

6. Ahora escriba una lista de las cosas que quiere atraer. Por ejemplo: «Quiero conseguir un ascenso en el trabajo». Y haga lo mismo con esta lista.

7. Recuerde que esa lista es sólo para sus ojos y nunca la verá nadie más. Una vez completada, fírmela y póngale la fecha. Este es su contrato sagrado con el universo, y está alimentado por la energía lunar.

8. Ahora léalo en voz alta y pronuncie las palabras con convicción. Repita las partes más destacadas que crea que necesitan más énfasis y delo todo. Respire hondo, pero asegúrese de completar la tarea con fuerza y entusiasmo.

9. Ahora destruya el contrato quemándolo o rompiéndolo en pedacitos. Lávese las manos con agua fría y séquelas bien.

Ritual para abrazar a la doncella, la madre y la arpía

La luna se representa a menudo como una deidad tripartita. Representa las tres edades de las mujeres y puede verse como algo negativo. Es importante recordar que no todas las doncellas son jóvenes, no todas las madres tienen hijos y no todas las arpías son viejas. No están determinadas por la edad, sino por la energía.

Las doncellas representan la pureza y la fuerza creativa. Son símbolo de nuevos comienzos y crecimiento. Las madres representan la fuerza sexual del nacimiento y la energía protectora que no debe limitarse a los niños. Encarna las cualidades de crianza y protección y también representa la plenitud y la creación de una nueva vida.

La arpía es la encarnación de la transformación y la sabiduría. Utilice su energía para poner fin a situaciones y pasar a nuevos proyectos. Es sabia y oscura, pero su edad es relativa. Utilícela para superar el duelo o cualquier sensación de pérdida y recurra a su energía para seguir adelante.

Acuda a amigas para que se unan a usted en este ritual y representen las edades de las mujeres, si puede pida a nueve mujeres que se vistan de blanco y lleven nueve velas blancas para representar a la doncella. Ahora reúna a nueve mujeres vestidas de escarlata para representar a la madre, que lleven velas blancas con cintas rojas. Por último, nueve mujeres vestidas de negro llevan velas blancas con cintas negras para representar a la arpía.

Pida a las mujeres que digan algo sobre la edad de las mujeres que representan. Honre todas las etapas y recuerde mezclar las edades de las mujeres participantes. Enciendan las velas y observen cómo arden mientras comparten las alegrías de la feminidad.

Si realiza un ritual en solitario, cree un espacio sagrado y cierre los ojos. Repita la frase «*Soy la doncella, la madre y la arpía. Lunas sagradas llénenme de su luz y muéstrenme mi camino».* Tenga receptividad para la energía que le llegará y celebre su ser femenino.

Capítulo 5: Mercurio, su mente y su boca

Mercurio es el planeta más cercano al Sol y es el más pequeño del universo. Puede que sea más pequeño que sus homólogos, pero es tan importante como algunos de los planetas más grandes que influyen sobre nosotros. Piense en Mercurio como un pequeño luchador con un ingenio relampagueante, un hábil comunicador de su grupo de amigos.

El glifo de Mercurio es un círculo con una cruz en la parte inferior y una luna creciente en la parte superior. Es como el glifo de Venus e indica la fuerza y los rasgos femeninos.

> Mercurio está en exaltación en Virgo
>
> En Dignidad en Géminis y Virgo
>
> En detrimento en Sagitario
>
> En caída en Piscis

Se considera benéfico cuando está solo o con Tauro, Géminis, Acuario, Virgo y Capricornio. Cuando se asocia con los otros signos, puede ser maléfico.

Efectos benéficos

- Imitación: Son buenos imitadores y les encanta entretener a la gente con sus imitaciones.

- También adaptan las ideas de los demás y las hacen suyas. Se dan cuenta de que sus habilidades residen más en la recreación que en la creación de ideas originales.

- Saben cómo funciona el sistema y reclamarán cada céntimo que puedan al gobierno y a otros organismos. Al fin y al cabo, tienen derecho a ello. También encontrarán la manera de engañar a los bancos y evitar pagar los préstamos.

- Si tienen un negocio, son buenos asesores, ya que conocen todas las lagunas y evasiones fiscales conocidas. Son expertos en dirigir operaciones a nombre de otras personas y mantener sus nombres limpios en caso de que las cosas vayan mal.

- Utilizarán la ley para castigar a sus enemigos en lugar de enfrentarse a ellos cara a cara. Odian las críticas y pueden ser mezquinos con quienes se atreven a discrepar con ellos.

- Se centran en las finanzas e incluso cambiarían su identidad y dirección si eso significara beneficiarse de una herencia.

Efectos de Mercurio Maléfico

- No se puede confiar en ellos para que encuentren trabajo por sus medios. Necesitan que otra persona les lleve de la mano y les muestre dónde encontrar trabajo.

- No viajan solos, aunque se comunican bien en todos los idiomas.

- Proyectan un elevado nivel de conocimiento sobre cosas de las que apenas saben nada.

- Prefieren la comida rápida y no entienden el placer de comer fuera.

- Son desaliñados y no tienen el mejor régimen de higiene.

- Se creen imprescindibles en su trabajo y les encanta decir a la gente lo importantes que son.

- Mienten con presteza, e incluso cuando se les pilla en una mentira, seguirán manteniendo que dicen la verdad.

- No importa cuál sea el partido gobernante, no estarán de acuerdo con sus políticas y métodos.

- Hablan de sus ambiciones, pero viven al día en la realidad.

- Esperan que los demás simpaticen con ellos y muestren empatía, pero no tienen tiempo para los problemas o las dificultades de los demás.

Rasgos astrales

Otros rasgos que muestran las personas con Mercurio en su signo:

Mercurio crece y cambia cuando se encuentra con otros elementos, y lo mismo ocurre con las personas que lo tienen en su composición astrológica. Absorberán cualidades y habilidades de otros y las adaptarán a sus necesidades. Esto no es malo, siempre que reconozcan la fuente de la información y no intenten hacerla suya.

Son comunicadores natos y procesan con rapidez los pensamientos e ideas mentales para convertirlos en discurso. Su agudeza de ingenio y su inteligencia los convierten en una buena compañía, pero tienden a ser caprichosos. Les resulta fácil realizar varias tareas a la vez, y pueden ocuparse de varios asuntos siempre que no se les exija ser demasiado detallistas. Se aburren con los temas y siguen adelante sin terminarlos debidamente.

Su intuición y su pensamiento lógico hacen que sean adecuados para carreras relacionadas con el transporte, el comercio, el turismo, la logística y la tecnología. Los ladrones y embaucadores también suelen tener una fuerte conexión con Mercurio. Tienen un temperamento fuerte, pero no guardan rencor.

Al estar tan cerca del Sol, es un elemento reforzador que fomenta la autoexploración y el desarrollo. Cuando se combina con otros signos, produce lo siguiente:

Con agua, los signos refuerzan la empatía y aumentan la intuición emocional.

Los signos de fuego hacen que las personas precavidas sean más audaces y hacerse oír. Les da un fuerte sentido de la confianza en sí mismos y les ayuda a ser más abiertos con los demás.

Los signos de Tierra enseñan a la persona a concentrarse más y a soñar menos despierta. Fomenta que aflore el lado práctico de su personalidad.

Los signos de Aire fomentan una personalidad más expresiva, capaz de hablar con rapidez y seguridad.

Deidades asociadas con Mercurio

Hay una deidad especialmente importante que se corresponde con Mercurio: Hermes, el exaltado mensajero divino. La magia hermética es la creencia de que existe el monoteísmo, pero describe los tres reinos del entendimiento y promueve ciertos métodos de pensamiento. La filosofía principal incluía la frase «como es arriba es abajo» que ya hemos tratado, pero hay otros puntos clave que pueden resultarle interesantes.

La creación es buena y el estancamiento es malo. Esta es una de las partes más polémicas de las enseñanzas herméticas que sugieren que sólo Dios es verdaderamente bueno. Los humanos tienen formas físicas y siempre estarán centrados en las necesidades materiales más que en las mejoras espirituales. La fuente de las ideas puede ser tanto buena como mala, por lo que la fuente es la clave para vivir una vida mejor.

Dios es «Todo»: Esta afirmación refuerza la creencia de que, por muchos espíritus o ángeles que creamos que haya, Dios ha trascendido la realidad y es la realidad.

Hay una única verdad: El mismo principio alimenta todas las creencias, sea cual sea su religión. Las enseñanzas herméticas sostienen que hay una sola verdad que toda la humanidad debe seguir.

La reencarnación: Los textos herméticos contienen pruebas escritas de creencias en la reencarnación; todos vivimos muchas vidas en la Tierra para alcanzar una relación más estrecha con el ser Divino, Dios.

En la religión hindú

Ganesh tiene múltiples epítetos, como el Dador del Buen Consejo, el Maestro de la Prudencia y el Amigo de Todos.

En las creencias egipcias, Mercurio está asociado a Seshat, la diosa del Cielo y Señora de los Personajes Sagrados. Era la encargada de registrar el paso del tiempo y de establecer la alineación celeste.

En la mitología nórdica

Mercurio está asociado al poderoso Odín, el Padre de todos los Dioses y Hombres. Era el formador de los Wyrds y existía en un plano mental que trascendía la Tierra y buscaba constantemente la sabiduría y el conocimiento. Sacrificó un ojo en el pozo de Mimir para adquirir más conocimientos, y su destino quedó sellado cuando se ahorcó por convertirse en el maestro de las Runas Antiguas.

Loki también está vinculado a Mercurio, ya que ambos están imbuidos de cualidades embaucadoras. Comparten una energía que puede ser divertida y a la vez frustrante, y a menudo los demás les distraen de sus objetivos originales.

Mitología celta

Esus, también conocido como Galo, era el dios de los sacrificios humanos y estaba asociado con Mercurio y Marte. Se le representa con un hacha y se le considera un leñador en términos mitológicos. Su animal sagrado es el toro.

Asociaciones de Mercurio

Su poder femenino se relaciona con el color masculino azul, pero con tonos más suaves. También le favorecen el gris paloma con motas azules, el azul cielo, el azul claro y el violeta.

Trabaje con diamantes, jade, jaspe, topacio, turmalina y ópalos para fortalecer su magia.

Las hierbas para incluir en su trabajo son la casia, eneldo, hinojo, avellana y musgo irlandés.

Aceite de mercurio

Toma una parte de perejil, dos de eneldo y tres de hinojo. Triture las hierbas o semillas en un mortero antes de añadirlas a un aceite portador, como el de oliva o el de almendras. Úselo para ungir sus velas y altar u otras herramientas mágicas.

Palabras clave asociadas con Mercurio

- Razonamiento
- Comunicación
- Exploración
- Inteligencia
- Conocimiento
- Patriotismo
- Cultural
- Independiente
- Reflexivo

- Estratégico
- Astuto
- Sagaz
- Palabra escrita
- Coloquial
- Expresivo
- Cotilleo
- No fiable
- Memoria
- Lógico

Animales correspondientes a Mercurio

El Zorro

Astuto y rápido, este animal enjuto encarna el espíritu de Mercurio. Viven cerca, pero a menudo son invisibles hasta que causan estragos en su casa. Roban huevos, matan gallinas delante de sus narices y se escapan como el viento. Los zorros también son escurridizos y apenas dejan rastro.

La serpiente

La mayoría de la gente teme a la serpiente, pero ésta representa el renacimiento, ya que las serpientes pueden mudar de piel y emerger como nuevas criaturas. También representan el equilibrio y la diplomacia, que le ayudan a no juzgar. Es un animal vigilante e intuitivo que enseña a mantenerse con los pies en la tierra, incluso en circunstancias caóticas.

Si sueña que una serpiente le muerde el brazo o la pierna, puede ser señal de una pérdida financiera. Si la serpiente lo persigue, significa que hay alguien en su vida que hace saltar las alarmas. Soñar que mata a una serpiente significa que se está haciendo más fuerte y que pronto superará los problemas de su vida.

Nadar con serpientes en sueños significa que, por el momento, sigue la corriente de los demás y eso le parece bien. Si una serpiente le envuelve el cuerpo, significa que está frustrado por la vida y necesita liberarse de la represión.

La hormiga

Esta diligente criatura no llega a ninguna parte si no se esfuerza. Puede que sea diminuta, pero tiene una fuerza inmensa y puede realizar grandes hazañas. Es un animal social que trabaja mejor en equipo, aunque también puede ser eficaz en solitario. Si sueña con hormigas, significa que está abrumado por pequeñas molestias que se están convirtiendo en un gran problema en su vida. La hormiga le dice que se ocupe de las cosas pequeñas y arregle los pequeños problemas.

La araña

Otra criatura laboriosa, la araña simboliza la paciencia, la creación, el crecimiento interior y la creatividad. Es la personificación de la creación de belleza a partir de los materiales más básicos. También, de planear la vida. Como tienen varios ojos, simbolizan la precaución y un sentido natural del peligro. Sabe que el mundo es peligroso, pero sabe cómo sobrevivir.

Tiene una excelente coordinación y le encanta organizar su casa, su vida y a los demás. Tiene un toque suave y es amable incluso cuando es firme con los demás. En sueños, las arañas representan una falta de participación en la vida social. Salga ahí fuera y sea usted mismo en lugar de esconderse en las sombras.

El mono

Juguetón pero inteligente, el mono es una criatura amable y curiosa que prospera en familia. Tiene un fuerte sentido de pertenencia y disfruta de una libertad indomable sin dejar de respetar los edictos sociales. Como su animal espiritual, significa su habilidad para hacer bromas y entretener a sus muchos amigos, pero a veces puede ser insensible y herir sus sentimientos.

El mono es una criatura amistosa que puede ponerse a la defensiva o agresiva cuando se siente amenazada. Tiene un fuerte sentido de la comunidad y protegerá con su vida a los que ama. Si sueña con monos, puede que sea el momento de ponerse serio y dejar su naturaleza juguetona en casa, donde puede ser tan tonto como quiera.

El coyote

El coyote, el embaucador del mundo natural, simboliza su entusiasmo e intrepidez. Los coyotes están llenos de una fuerte inteligencia unida a un carácter infantil que le ayudará a encontrar la magia de la vida a través de caminos que pueden estar ocultos en ese momento.

Es rápido de reflejos y está decidido a encontrar lo positivo en todas las situaciones. Cuando comete un error, no tarda en reconocerlo y reírse de sí mismo antes de volver a intentarlo. Jugar bromas pesadas es una de sus especialidades, y a veces puede llevarlas demasiado lejos. Si sueña con un coyote, puede indicar un cambio espiritual en alguien que conoce; ¿le están engañando? Podría ser una señal de deslealtad por parte de otros.

Cómo trabajar con la energía de Mercurio

El mejor día para trabajar con Mercurio es el miércoles, pero no olvide recurrir a él siempre que sienta que tiene problemas con la comunicación. Las energías divinas están disponibles siempre que las necesite.

Haga hechizos de comunicación

1. Tome una hoja de papel amarillo y algunas velas celestes.

2. En el papel, escriba el nombre de la persona con la que le cuesta conectar.

3. Doble el papel tres veces mientras repite la frase: «La falta de comunicación debe desaparecer para siempre; con este hechizo, me entenderán».

4. Ahora selle el papel con un poco de cera de la vela y guárdelo como si fuera una carta cerrada.

5. Bendígalo con aceite de Mercurio y repita esta frase «Las ideas y palabras fluirán hacia mí, ayúdame a decir mis palabras, la verdad y el amor los doy gratis; vuelan de mí como pájaros».

6. Llévelo consigo y úselo cuando sienta que necesita ayuda para que le entiendan.

Hechizos para que lo llamen

1. Repita el último conjuro, pero escriba el nombre de la gente o persona que quiere que le llame.

2. Cuando haya bendecido el papel, entiérrelo bajo su árbol favorito y bendiga la tierra con aceite de Mercurio.

Hechizos de Manipulación

Mercurio es una energía poderosa para manipular a alguien y doblegar su voluntad. Recuerde, la magia nunca debe ser usada para causar daño o conseguir el consentimiento de alguien que no quiere darlo, pero puede ser usada para darles un suave empujón y mostrar las cosas desde otra perspectiva.

1. Utilice velas azules y su piedra favorita relacionada con Mercurio para establecer el tono.

2. Componga un canto sobre lo que quiere, o a quién necesita manipular y repítalo hasta que la vela haya ardido durante cinco minutos.

3. Tome la vela y la cera, envuélvala en un pañuelo o tela blanca y guárdela en un lugar sagrado.

4. Cuando el hechizo haya funcionado, oculte el paquete en la tierra.

Utilice la meditación para conectar con la energía de Mercurio

La energía astral le ayudará a ser más hábil para comunicarse y a convertirse en una persona más eficaz. Las meditaciones de Mercurio retrógrado están especialmente diseñadas para ayudarle a convertirse en una persona de gran empatía. El término retrógrado hace referencia a palabras sobre las que debe reflexionar, y que le proporcionarán una forma de mediación.

Siga estos sencillos pasos para conectar con Mercurio y formular sus preguntas pertinentes.

Paso uno: Póngase cómodo y despeje su mente. Respire profundamente hasta que pueda oír y sentir los latidos de su corazón.

Segundo paso: Compruebe sus reacciones: Prepárese para dar un gran paso atrás si ocurre algo indeseable. Este tipo de meditación puede suponer un reto.

Tercer paso: Compruebe que su chakra de la garganta esté relajado. Mercurio se relaciona con su chakra de la garganta, así que prepárese para cierta tensión allí. Asegúrese de tomar una bebida relajante.

Cuarto paso: Recuerde quién es y cuál es el propósito de su vida. Esto puede suponer un reto, ya que nos vemos tan atrapados en nuestras rutinas diarias que perdemos de vista lo que realmente queremos. Pregúntese cuál es su verdadero propósito y si va por buen camino.

Quinto paso: Reflexione y descanse. Dedique tiempo a usted mismo, ¿o está tan atrapado en la vida que no tiene tiempo para usted? Añada más actividades relajantes a su agenda. Añada una cita nocturna si tiene pareja, o simplemente dedique tiempo a usted mismo. Respire hondo y recuerde por qué necesita recargarse y ordenarse.

Sexto paso: Diviértase. Elabore un nuevo plan de vida que incluya actividades divertidas. Sea creativo e inicie nuevos proyectos. Recuerde lo que le gustaba de niño y vuelva a probar esa actividad. Los libros para colorear y los juegos sencillos, como saltar la cuerda o el hula hula, son la forma perfecta de revivir su infancia.

Por último, acuérdese de meditar y relajarse más, esté donde esté y tenga el tiempo que tenga. No hace falta tener la mente tranquila para meditar. Sólo necesita un par de minutos para desconectar. Recuerde que Mercurio y sus energías le ayudarán a descubrir la alegría de la comunicación interior y las formas más tradicionales de relacionarse con los demás.

Capítulo 6: Marte, el líder victorioso

Marte

El planeta Marte representa la esencia misma del ser. Su glifo es un círculo con una flecha apuntando hacia la parte superior derecha del cielo y simboliza la voluntad humana reforzada con la flecha del deseo. El planeta rojo, llamó a los humanos a visitarlo durante años y, cuando finalmente conseguimos aterrizar un vehículo en la superficie, no decepcionó. Puede que solo tenga la mitad del tamaño de la Tierra, pero cuenta con impresionantes valles y picos que hacen de su superficie un terreno salvaje y maravilloso.

En astrología y magia, Marte está lleno de pasión y energía dinámica. La energía que genera inspira auto confianza y la creencia de que todo lo que se desea se puede conseguir. Es una energía autocomplaciente que se defiende con vigor y que ayuda a conseguir lo que se desea.

Marte está en exaltación en Capricornio

En dignidad en Aries y Escorpio

En detrimento en Libra

En caída en Cáncer

Cuando es dominante en signos de agua, hace a las personas propensas a una fuerza de voluntad débil, incluso si se encuentra en un signo de voluntad fuerte como Cáncer

En signos de fuego provoca periodos de ira y pasión. Influye en las personas haciendo que lleven la seguridad en sí mismas un paso más allá y pueden volverse agresivas. También puede dar origen a relaciones perturbadoras que comienzan con una pasión absorbente y terminan con angustia.

Cuando está en el elemento tierra, hay una pasión más latente hirviendo bajo la superficie, pero que es explosiva cuando se verifica. Marte siempre tiene una furia oculta, pero cuando se combina con la tierra, produce la respuesta del instinto de supervivencia para luchar hasta la muerte.

En cuanto a los signos de aire, Marte influye más en las pasiones mentales que en las físicas. Inspira a aprender más y planificar el futuro. Las personalidades son propensas a volverse temperamentales y a encontrar defectos en todo.

Cuando Marte es benéfico en su carta natal o en su signo ascendente, significa que se volverá más fuerte físicamente y más seguro de sí mismo. Influirá en su potencial y le dará más confianza para alcanzar sus objetivos.

Si es desfavorable, será incapaz de expresar sus emociones y se volverá tímido e introvertido. Sus necesidades sexuales y su naturaleza competitiva se verán reprimidas y se sentirá frustrado. Estos periodos maléficos le brindan la oportunidad de trabajar en estos temas, superar la frustración y volverse más extrovertido. Puede que no sea el mejor momento para usted, pero a Marte le gustan los retos y le encanta que encuentre su espíritu y trabaje en su crecimiento personal.

Los antiguos se referían a Marte como el «maléfico menor» y atribuían al planeta accidentes, tiempos de crisis y desgracias.

A veces Marte es intimidante, pero tiene buenas intenciones. Su entusiasmo y su personalidad ambiciosa hacen que lo impulse. incluso si usted es reacio. Físicamente, se manifiesta como un joven fuerte, con un físico impresionante y una superficie rojiza. Es colérico e irascible, pero también indulgente.

Deidades relacionadas con Marte

En primer lugar, echemos un vistazo al dios romano Marte, que personifica al planeta.

Era apuesto, pero vanidoso, y los demás dioses no se impresionaban y le tenían aversión.

Su vanidad lo llevó a casarse con una diosa vieja y fea, que se hizo pasar por la diosa Minerva.

Su símbolo era un escudo sagrado.

Era el dios de los soldados y de la guerra.

Fundó Roma.

Era hijo de Júpiter y Juno.

Otras divinidades

En la mitología griega

Ares, el señor de la guerra e inspirador de hazañas, era uno de los doce dioses olímpicos e inspiraba sentimientos encontrados entre sus seguidores. Reconocían su fuerza y su valor físico, pero su pasión por la violencia y su sed de sangre les hacían desconfiar de su poder. Hay muy pocos templos en su honor, en comparación con su hermana Atenea, venerada y amada por su estrategia y compasión.

Ares fue humillado a menudo por los demás dioses y tuvo muchas aventuras con las esposas de otros. Zeus se refirió a él como el «mentiroso de doble cara» y «el más odiado de todos los dioses» tras su pobre actuación en la batalla de Troya.

En la mitología romana

Marte se asociaba a menudo con Vulcano, el dios del fuego. Se alía con las ninfas para combinar calor y agua y crear un poder protector contra las erupciones volcánicas y las intrigas. Protege las ciudades y sus alimentos y a menudo se le representa fundiendo metales en su horno sagrado.

En la mitología babilónica

Nusku era el dios de los volcanes y el exaltador de la antorcha sagrada. Lleva un cetro brillante y se le representa bañado en una luz espiritual que trae el fuego para iluminar la oscuridad de la raza humana.

En la mitología hindú

Agni, dios de dos caras, siete brazos y tres piernas, que surca los cielos montado en un carnero, está asociado a Marte. Respira fuego y utiliza hachas, cucharas y abanicos espirituales para distribuir bendiciones espirituales.

En la mitología egipcia

Marte está asociado al dios Horus de Edfu, con cabeza de halcón. Es el responsable de mantener en su lugar las cadenas de la oscuridad y también es el señor de la forja. Es feroz en la batalla, lleva una corona doble que combina los reinos del alto y bajo Egipto y luce falda escocesa y armadura de combate.

En la mitología celta

Los celtas admiraban a los guerreros y Marte representaba las personalidades guerreras más exitosas y brutales. Muchas deidades celtas están asociadas a él, entre ellas Babd, miembro de las Morrigan, que eran tres diosas de la batalla. Es representada por un cuervo que gotea sangre del pico. Marte tiene los mismos rasgos que Cocidus, el dios de la guerra; Medb, la diosa irlandesa de la guerra; y Belatucadros, el dios británico de la destrucción.

En la mitología nórdica

Marte está asociado con Thor, dios del trueno e hijo de Odín. Es el más bárbaro de los dioses nórdicos y surca el cielo con su poderoso carro tirado por cabras.

Palabras clave para describir la energía de Marte

- Entusiasmo
- Energía
- Pasión
- Cólera
- Determinación
- Fuerza de voluntad
- Obstinación
- Inspiración
- Valentía
- Coraje
- Impulsividad
- Intimidación
- Agresividad
- Liderazgo
- Acción
- Valor
- Conspiración

Trabajar con Marte

Las asociaciones elementales incluyen cristales rojos y piedras como el rubí, la piedra de sangre y el granate. Está fuertemente asociado con el metal, especialmente con el hierro, y es el signo dominante para los metalúrgicos, herreros y otras profesiones relacionadas con los metales comunes.

Los alimentos incluyen combinaciones de sabores agrios y acres. La mayoría de los signos dominados por Marte no son golosos. En cambio, prefieren los platos picantes y especiados. El ajo, la mostaza y los pimientos son sus favoritos, y el alcohol y las carnes rojas orgánicas aumentan las energías de Marte, pero también pueden entorpecer sus intuiciones espirituales.

Animales asociados a Marte

El escorpión

Al igual que el planeta, usted puede tener una relación especial con este animal, pero siempre debe tener cuidado con el aguijón en la cola. Los escorpiones son protectores y creativos, pero hay que vigilarlos, al igual que la energía de Marte.

La avispa

Otra criatura que puede causar dolor con su aguijón, pero también representa la inteligencia y el trabajo en equipo. Trabajan juntas para crear una comunidad productiva y tienen increíbles habilidades de comunicación.

El carnero

Distante y transformador, el carnero tiene unos cuernos impresionantes para proteger a su familia. Son animales a la vez agresivos y sensibles, con un sentido de la vista que supera lo habitual.

El buey

La fuerza y la lealtad son sus rasgos y tiene una energía arraigada que emana de su tamaño y poder.

El caballo

Su sentido innato de la libertad y la aventura resume la energía de Marte, mientras que su amistad y lealtad muestran su lado más compasivo. Los caballos son sinónimo de movilidad e independencia y muestran las intenciones de liberarse de una rutina aburrida.

El lobo

Marte es un compañero fuerte, al igual que el lobo. Trabaja bien solo o en manada y permanece a su lado cuando lo necesita. Tiene un lado espiritual compasivo que funciona bien cuando se combina con instintos protectores.

Trabajar con Marte en rituales y hechizos

La Tabla de Marte

Una tabla de números que contiene cinco filas de cinco números que suman sesenta y cinco en cada fila y trescientos veinticinco en total se usa como texto sagrado para proteger el poder de Marte. Utilícela para hacer más seguro su hogar o para bendecir sus objetos sagrados.

Grabada en metal, da a los hombres la potencia para ganar batallas y expulsar a sus enemigos. Ahuyenta a las bestias venenosas y aterroriza a los potenciales enemigos.

Hechizos poderosos para ganar discusiones o batallas legales

La energía de Marte se trata de mantenerse firme y ganar batallas, pero eso no siempre implica combates físicos. En la sociedad moderna, muchas de nuestras batallas son legales o tienen que ver con documentos. Invoque el poder de Marte con estos potentes hechizos para salir victorioso en asuntos legales o de negocios.

Primer hechizo de magia con velas

Lo que necesita:

- Dos hojas de laurel.
- Dos velas rojas.
- Miel cruda.
- Copias de los documentos relacionados con su asunto.
- Un encendedor.
- Cinta dorada.

Instrucciones:

1. Unja las velas con miel.
2. Colóquelas en portavelas y enciéndalas mientras pronuncia la siguiente frase:

   «Por el poder de Marte, pido su ayuda para que desaparezcan mis problemas y que mi futuro sea exitoso. Libérame de las pruebas y tribulaciones que me persiguen».

3. Ahora coloque las dos hojas de laurel sobre los documentos y átelas con la cinta dorada para formar un sobre.
4. Selle los bordes con la cera de las velas y declare el resultado deseado.

Segundo hechizo, hechizo con vinagre para la justicia

Lo que necesita:

- Un trozo de papel.
- Un bolígrafo rojo y uno negro.
- Una vela roja.

- Vinagre blanco.
- Un plato ignífugo.

Instrucciones:

1. Cuando tiene una disputa o un asunto legal, es esencial tener en cuenta las dos partes. Escriba en el papel con el bolígrafo negro de qué se trata y de qué se le acusa. Incluya las calumnias o acusaciones falsas y las que puedan tener algo de verdad.

2. Dele la vuelta al papel y escriba su verdad con el bolígrafo rojo: toda la verdad y nada más que la verdad, parafraseando el lenguaje jurídico. Sea sincero con lo ocurrido y muestre remordimiento cuando sea necesario.

3. Vierta un poco de vinagre en sus manos mientras dice lo siguiente:

    «Marte, poderoso líder, pido ayuda para conseguir la verdad y la justicia que busco. Sé el poder detrás de mi lucha y ayúdame a salir victorioso».

4. Mantenga el papel entre las manos hasta que se absorba el vinagre y, a continuación, enciéndalo con el encendedor. Deje que las cenizas caigan en el plato ignífugo hasta que el papel se haya quemado por completo. Esparza las cenizas por el suelo en el exterior o bajo su árbol favorito.

5. Este hechizo debería ser efectivo durante todo un mes. Si su problema, caso judicial o discusión dura más que esto, repita el hechizo para asegurarse de que siga siendo efectivo.

El ritual perfecto para atraer el poder de Marte

El martes es el día perfecto para conectar con el planeta Marte y este es un ritual sencillo de realizar que lo conectará con el coraje y la fuerza del planeta.

Lo que necesita:

- Una vela roja.
- Un portavelas elegante de hierro negro.
- Un clavo negro para tallar en la vela.
- Piedras asociadas a Marte, como el rubí, el granate o la piedra de sangre.
- Pimienta de Jamaica.

- Canela.
- Ajo.
- Semillas de mostaza.
- Encendedor.
- Un altar plano o una mesa para realizar el ritual.
- Adornos rojos.

Instrucciones:

1. Prepare su altar con los adornos rojos y haga que resulte cálido y atractivo. Coloque el candelabro sobre la mesa para acceder a él fácilmente.

2. Grabe la vela con su nombre y lo que quiere conseguir. Utilice símbolos o palabras sueltas para evitar confusiones. Haga un agujero en el centro de la vela y espolvoree en él algunas de sus especias antes de fijarlas bien con la cera.

3. Utilice el resto de las especias para decorar la base del portavelas y proteger su trabajo.

4. Encienda la vela y observe cómo la cera rueda por la vela y se acumula en su portavelas mientras repite la siguiente frase:

   «Señor Marte, te doy la bienvenida a mi lugar sagrado, concédeme el poder de vivir una vida llena de coraje y pasión.

   Ayúdame a librar mis batallas con pasión y bondad, sean grandes o pequeñas, y a proteger mi virtud y mi reputación.

   Atrae el éxito a mi hogar y desvía el daño y el temor. La vela arde y los espíritus giran; pido que comience este ritual de magia».

5. La vela debe consumirse por completo, lo que puede llevar varios días. Asegúrese de que ese número sea impar, así que tómese tres, cinco o siete días, dependiendo de cuánto tiempo pueda vigilar la vela a diario.

6. Cada vez que vuelva a encender la vela, diga: *«Mientras la vela se vuelve a encender, haz que mi magia vuelva a encenderse».*

Cree un filtro para el coraje

Los filtros son pociones mágicas, y este está diseñado para atraer la energía de Marte y aportar coraje a su trabajo. Prepare la poción un martes para tener más fuerza y úsela siempre que necesite añadir el poder de Marte a su magia.

Lo que necesita:

- Una botella roja de cristal.
- Dos tazas de aceite portador, como aceite de almendras o de oliva.
- Un gotero.
- Aceite esencial de cítricos.
- Aceite esencial de pimienta negra.
- Aceite de jengibre.
- Canela.
- Hojas secas y molidas de acebo.
- Hojas de albahaca fresca.
- Un trozo de granate rojo o piedra de sangre.
- Una cinta roja y una negra.
- Un pequeño talismán del ojo de Horus.

Instrucciones:

1. Añada el aceite portador a la botella y, a continuación, utilice el gotero para añadir los aceites esenciales.
2. Déjese guiar por su instinto y añada las cantidades que considere adecuadas para su poción.
3. Añada la piedra y los demás ingredientes frescos.
4. Cierre el frasco y agítelo suavemente antes de ponerlo al sol.
5. Limpie el exterior de la botella y átese las cintas al cuello.
6. Coloque el talismán y etiquétalo si tiene más de un filtro en su lugar de magia.
7. Ahora sostenga la botella y visualice cómo utilizará sus nuevos poderes para mejorar su vida y tener más éxito. Imagíneselo en el ojo de su mente y visualícelo fluyendo dentro de la botella.
8. Repita estas palabras para que la poción se llene de energía:

   «Esta pócima del martes es mía

   Me aporta fuerza y poder,

   soy fuerte y valiente y no me echaré atrás

nadie me robará mi momento».

9. Ahora, limpie su espacio y a usted mismo antes de guardar el filtro en un lugar oscuro y fresco.

10. Dé un paseo por la naturaleza para conectarse a tierra y reconectar con el plano terrenal.

11. Saque el filtro del espacio siempre que necesite el poder y el valor de Marte.

Capítulo 7: Venus, amor y lujo

La mención de Venus evoca imágenes de amor, pasión, deseo y belleza. Este planeta es el segundo en distancia del Sol y tiene aproximadamente el mismo tamaño que la Tierra. Es el planeta más brillante de nuestro sistema solar, aparte de la luna y el sol, y a menudo se le conoce como el lucero del alba. La superficie del planeta es completamente diferente a la de la Tierra y es bastante hostil, sin océanos y con una atmósfera pesada compuesta de dióxido de carbono y con un contenido de humedad prácticamente nulo.

El glifo de Venus es el círculo del espíritu sobre la cruz del yo, que representa la verdadera unión del cuerpo y la mente. Venus es el planeta del amor verdadero y de la unión potencial del alma.

En exaltación, cuando está en Piscis

En detrimento, cuando está en Aries

En dignidad, cuando está en Tauro y Libra

En caída cuando está en Virgo

Venus se concentra menos en la pasión física, que es el dominio de Marte, y se asocia más con la armonía, el amor, la sociabilidad y las relaciones románticas equilibradas.

Venus benéfico

Cuando Venus es benéfico en la casa de una persona, indica riqueza, éxito y posiciones influyentes en la sociedad. Lo más probable es que esta persona haya progresado desde comienzos humildes hacia cosas mayores y que disfrute de éxito en su campo. Estrellas de cine, músicos, diseñadores, modelos y líderes carismáticos suelen tener a Venus en una posición benéfica.

A menudo tienen su atención centrada en sí mismos y tienden a olvidar los cumpleaños, aniversarios u otras ocasiones que no tienen que ver con ellos. Sus familiares y amigos se sienten ignorados y dejados de lado a medida que van teniendo más éxito. Ni siquiera sus cónyuges e hijos pueden cambiarles y carecen de valores morales comunes.

Valoran mucho la puntualidad y esperan que los demás hagan lo mismo. Profesan ser espirituales y predican a los demás, pero son materialistas y se centran en la riqueza y las adquisiciones personales.

Venus maléfico

Cuando Venus es maléfico en la casa de una persona, ésta se siente cómoda, pero no tiene éxito. Corta los lazos con su historia familiar y se centra más en su existencia presente a medida que envejece. Sus talentos incluyen la falsificación y la creación de contenidos para otros. Siempre ganan lo suficiente para salir adelante, pero nunca están llenos de ambición.

La adicción y los excesos siempre forman parte de su vida y a menudo no consiguen mantener relaciones satisfactorias. Son perezosos e irresponsables, pero aun así se ganan el respeto de sus hijos, que los quieren a pesar de ello.

Venus también está relacionado con una energía extrema que puede causar desastres y los antiguos a menudo sacrificaban a seres humanos para apaciguar su furia. Creían que cuando se enfadaba y se le rompía el corazón, provocaba inundaciones y relámpagos que partían montañas y creaban llamas que aterrorizaban las tierras altas.

Deidades relacionadas con Venus

En la mitología griega

Afrodita es quizá la diosa más famosa asociada a Venus. Se dice que nació en Pafos, en la isla de Chipre, y que surgió de la espuma de las aguas azules en las que Cronos arrojó los genitales de su padre asesinado, Urano. Entre sus compañeros sentimentales y sexuales había dioses y mortales y su belleza era tan impresionante que provocó una guerra entre los dioses.

Se vio obligada a casarse con el feo y deforme dios Hefesto, pero tuvo hijos con muchos amantes, entre ellos Ares, Poseidón, Adonis y Hermes. Era la diosa de la belleza y la fertilidad y se la consideraba una de las más poderosas de la mitología griega.

En la mitología babilónica

Inanna era la diosa más importante de la religión sumeria y representaba tanto el amor como la guerra. La diosa aparecía en muchos mitos asociados con Mesopotamia y, según se dice, fue quien trajo la cultura a la sociedad. Inanna era representada como una joven hermosa que reconocía que su poder reside en su apariencia y su inteligencia, aunque nunca fue una esposa o madre fiel. Su energía se asocia más con la feminidad temprana, que toma amantes a voluntad y es feroz y valiente.

En la mitología egipcia

Isis era una diosa importante en el antiguo Egipto, pero a menudo se la representaba como humana. Su papel de esposa y madre la hacía más accesible que otras diosas y era la viuda afligida del dios Osiris. Su inteligencia y poder de comunicación la hacían más poderosa que mil soldados.

El culto a Isis se extendió por toda Europa y los romanos la veneraron hasta que el emperador Augusto prohibió esta práctica como parte de su intento de persuadir a los romanos para que siguieran a los dioses romanos. Muchas tradiciones paganas la han resucitado para convertirla en su diosa patrona y adquirir su fecundidad y conocimiento en los tiempos modernos.

En la mitología nórdica

Frigg es la esposa de Odín y la diosa más venerada de los Aesir. Representa los aspectos más femeninos de la magia, como el hogar, la maternidad, el amor y las artes domésticas. Su amor maternal era célebre, y las mujeres que la adoraban la rodeaban cuando celebraba la corte. Frigg cabalgaba por la noche en un magnífico carro tirado por gatos y era famosa por llegar a tierras que hasta entonces habían permanecido inexploradas.

Sus símbolos son la rueca y el muérdago y representa la figura materna por excelencia. Intentó salvar la vida de su hijo alterando el destino, pero no pudo evitar que muriera prematuramente. Conocida como la madre de Asgard, tiene fuertes vínculos con la deidad romana Venus.

Elementos de Venus

Está vinculada a los colores verde, rosado, blanco, turquesa, púrpura, azul y plateado.

Cristales asociados a Venus

Calcita: Piedra responsable de duplicar la energía y amplificar la confianza. Se considera un multivitamínico para el alma, aumenta el vigor y la vitalidad. Úsela para conectar con la parte hedonista de su personalidad y aumentar el deseo por la vida y todo lo que otorga.

Celestita: Utilice este cristal para calmarse cuando se enfrente al estrés o la calamidad. Conecta directamente con la energía de Venus cuando se utiliza en rituales y aporta su cualidad femenina nutritiva a los trabajos. Tiene una alta vibración que trae paz y calma a las situaciones más problemáticas.

Esmeralda: Es la piedra del éxito en el amor y el romance, la esmeralda también mejora otras relaciones. Puede regalarla para cimentar amistades platónicas o utilizarla para reforzar el amor propio y la confianza en sí mismo. Utilícela para mejorar su comprensión emocional e iniciar el camino del autodescubrimiento.

Turmalina verde: Poderosa piedra curativa vinculada al chakra del corazón. Tiene energía masculina para curar heridas físicas y una fuerte energía femenina para aliviar las cicatrices emocionales y espirituales.

Malaquita: Piedra poderosa que resuena con los aspectos femeninos de la salud. Ayuda a equilibrar los problemas del sistema reproductor y a aliviar traumas menstruales. Utilícela para canalizar la energía de Venus y curar sus males o simplemente para fortalecer sus órganos internos.

Palabras clave para describir la energía de Venus

- Afinidad
- Amor
- Pasión
- Deseo

- Lujuria
- Belleza
- Atracción
- Deseo desenfrenado
- Feminidad
- Vanidad
- Obsesión por sí mismo
- Satisfacción
- Ambición
- Lazos familiares
- Energía femenina
- Autoimagen
- Erotismo
- Aventura
- Intimidad
- Celos
- Relaciones de pareja
- Complicidad

Animales espirituales relacionados con Venus

El elefante

Fuerte, magnífico y digno. Las hembras de elefante son famosas por sus dotes maternales y las manadas de elefantes protegen ferozmente a sus crías. El elefante forma parte de la familia real de la naturaleza y es regio pero accesible.

La paloma

El símbolo de la paz y la tranquilidad, la paloma, puede no parecer una elección natural para Venus. Sin embargo, simboliza el amor y la devoción que forman parte de sus relaciones e inspira a sacrificar el propio ego para lograr la unión perfecta. Es el símbolo de la comunicación y la dulzura.

El pavo real

Con su plumaje brillante y su inmenso sentido del amor propio, el pavo real es la representación perfecta de la energía de Venus. Se exhibe para atraer el amor y no teme mostrar sus intenciones. Si se siente atraído por el pavo real, debe trabajar su autoestima y ser más receptivo al amor y a la atracción.

La oveja

Si se encuentra en sintonía con la oveja, significa que es más probable que le atraigan las relaciones compasivas que las apasionadas. Le atraen las personalidades sensatas y quiere evitar el drama o la agitación.

La cabra

Fuerte y vigorosa, la cabra simboliza la fortaleza física y emocional. Trabaja bien en solitario y no teme dar la cara para conseguir lo que quiere.

Alimentos asociados a Venus

La mayoría de las personas con Venus fuerte en su casa son golosas, les encanta combinar el dulzor con algo ácido o astringente. El pollo agridulce o las combinaciones de miel y mostaza les encantan. Les encantan los dulces y los frutos secos y tienden a abusar de sus comidas favoritas. El vino dulce y los licores ocupan un lugar destacado en su lista de caprichos y a menudo los combinan con aperitivos salados. Los alimentos condimentados con aceites esenciales también son tentadores y la adición de hinojo, menta, albahaca o vainilla hace que sus platos sean más apetitosos.

Venus se asocia con fragancias como la madreselva, el jazmín, la lila, el mirto y otros aromas femeninos y las personas bajo su influencia suelen utilizar aceites esenciales y difusores en casa. Piense en femenino y obtendrá la esencia de Venus.

Hechizos de amor con el planeta Venus

El amor no se trata solo de chocar los genitales con su pareja, aunque sea placentero. El verdadero amor consiste en abrazar todas las cosas lujosas, opulentas, espléndidas y magníficas. Se trata de comer lo mejor y disfrutar de los tejidos más suaves y confortables en un entorno lujoso.

Nadie le promete que su vida se convertirá de repente en una vida llena de joyas, coches deportivos y casas sacadas de revistas. Puede atraer un mejor estilo de vida y adquirir las habilidades para apreciar lo que se le da. El amor tiene que ver con la felicidad, con satisfacer los deseos más salvajes y con acostumbrarse al placer.

Invocar a la diosa Venus y la energía que aporta es como obtener un pase VIP para la vida. Pídale que se una a usted y le ayude a conectar con sus artimañas femeninas y la fuerza que le aportan.

Invoque a la diosa y al planeta Venus con los siguientes métodos:

- Vístase para impresionar: Luzca un atuendo FABULOSO que grite «Mírenme AHORA» para mostrar sus intenciones.

- Cree un espacio sagrado con rosas, miel dulce, sus dulces favoritos, cristales y una vela roja, una rosada y una blanca.

- Tome un baño ritual con sus aceites esenciales favoritos y deje flotar pétalos de rosa en el agua. Elija las toallas rosadas o blancas más suaves para secarse y utilice cremas perfumadas para sentirse especial.

- Dibuje un círculo con tiza rosada o roja y pídale que entre.

Cree un sencillo perfume de amor lleno del poder de Venus

Los perfumes y las fragancias nos atraen. El olor de algo agradable y atractivo puede dejarlo atónito. Cree una fragancia de bajo nivel para dar el primer paso en el contacto con alguien que le interese.

Lo que necesita:

- Cuatro gotas de aceite de rosa.

- Una gota de aceite de lavanda.

- Una gota de aceite de mirra.

- Una gota de aceite de sándalo.

- Una gota de aceite de ylang-ylang.

- Veinte gotas de aceite portador, como aceite de oliva o de almendras.

Instrucciones:

Mezcle todo bien y aplíqueselo con moderación sobre la piel cuando esté en presencia de alguien a quien quiera atraer. Si la persona es receptiva a su intención, le responderá. Si no siente ninguna atracción hacia usted, ni siquiera la poción más poderosa funcionará.

Hechizos con velas para el amor

Las velas son muy eficaces para la magia de amor y están disponibles en muchos estilos, colores y formas. Dependiendo de sus intenciones, aquí hay algunas de las maneras más eficaces de utilizar velas en sus trabajos de magia.

Las velas imagen se han utilizado durante generaciones para representar intenciones en la magia. Las velas masculinas y femeninas son el tipo más obvio de imágenes, pero se pueden utilizar otros tipos poderosos. Comenzaremos con velas ordinarias para los hechizos de amor y descubriremos cómo tallarlas para representar dos partes de una pareja.

Hechizos de amor con velas

Elija dos velas que lo representen a usted mismo y al objeto de su afecto. Pueden ser simples como velas rosadas, blancas o negras, o puede elegir colores que representen sus energías individuales. Las velas verdes, rojas, amarillas y naranjas funcionan igual de bien.

Escriba el nombre de las dos personas en las velas que las representan y unja las velas separadas con aceite.

Coloque las dos velas en un altar o espacio de trabajo adecuado y ponga una vela roja entre ambas. Encienda las tres velas y acerque las dos velas imagen a la vela roja mientras visualiza la unión que formarán.

Una vez que las dos velas imagen estén unidas a la vela roja, continúe observándolas arder mientras piensa en el objeto de su afecto y en su futuro. Una vez que las velas se hayan consumido, tome la cera y entiérrela en el jardín.

Hechizo para el compromiso matrimonial

Si ya está comprometido en una relación, este hechizo le ayudará a fortalecer los lazos y hacer su unión más fuerte.

Tome dos velas que lo representen a usted y a su pareja y únjalas con sus perfumes o esencias individuales. Coloque una foto de cada uno delante de las velas y átelas con una cinta roja.

Encienda las velas y diga lo siguiente:

«Enciendo las llamas del amor y pido que la diosa Venus nos ayude a permanecer juntos con la luz de su amor. Mantén encendido el fuego del amor en nuestro hogar mientras tu brillante planeta brilla desde los cielos».

Deje que las velas ardan hasta que la cinta las una antes de apagar las llamas. Coja las dos velas y guárdelas en un lugar seguro. Si necesita reforzar el hechizo en el futuro, solo tiene que bajar un poco la cinta y repetir el hechizo.

Hay otros tipos de hechizos que puede hacer con velas. Todo el mundo sabe que el amor puede terminar tan rápido como comienza y que la mayoría de la gente experimenta al menos una ruptura en la vida y necesita seguir adelante. El amor y el romance son pasajeros y todos necesitan una ayuda para seguir adelante.

Los hechizos para rupturas se realizan utilizando las dos velas imagen de la misma manera que en los hechizos de amor, pero en este caso se alejan una de la otra. Coloque las velas imagen sobre un altar o una superficie plana y átelas con la cinta roja. Enciéndalas y retire la cinta mientras aleja la una de la otra.

Diga:

> *«Nos separamos como amigos y con amor más que con odio. Venus, bendícenos a ambos y sella nuestro destino, vivíamos como uno, pero ese tiempo ha terminado».*

Mientras las dos velas se consumen, imagine cómo afrontará el futuro en solitario y vivirá aventuras como una sola persona.

Agarre los restos de cera y entiérrelos por separado.

Velas imagen comerciales

A medida que la magia y los trabajos espirituales se hacen más populares, han aumentado las fuentes de velas imagen. Puede comprar velas específicas para hacer sus trabajos más estructurados y señalar eficazmente sus intenciones.

Puede comprar velas de novios que parecen adornos de pasteles de boda. Las velas negras señalan el fin de una relación, mientras que las blancas se utilizan para fomentar el amor o atraer una proposición. Las velas de matrimonio rojas se usan con las velas imagen para hechizos que atraigan pasión, amor y vitalidad a las relaciones.

Las velas de abrazo son doblemente perversas y representan a una pareja abrazada. Se pueden utilizar para atraer de nuevo un amor que ha abandonado una relación o fortalecer los lazos. Las palabras y las intenciones determinan la eficacia de cada hechizo. Estas velas están disponibles sobre todo en rosado y rojo y son una fuente de energía positiva.

Las velas imagen ayudan a enfocar los hechizos y poner las intenciones claras. Utilice los colores y las imágenes con la fuerza de la convicción para hacer que sus trabajos sean más poderosos. Tiene los recursos, así que asegúrese de utilizarlos.

Colores de las velas y su significado

- El rojo es el color de la pasión y el ritmo. Utilice el rojo para que sus intenciones se cumplan más rápido y para atraer la pasión y el sexo a su magia.

- El verde es el color de la prosperidad y la suerte. Úselo para añadir dinero y riqueza a sus hechizos.

- El rosado es la energía suave de la felicidad, el romance, la pureza y las nuevas relaciones. Se utiliza para aportar ternura y satisfacción espiritual al trabajo y para calmar las emociones después de una disputa.

- Las velas negras señalan el final de algo. además de ser la portadora del amor, Venus se asociaba con la muerte. Las velas negras se utilizan para centrarse en cosas nuevas y dejar atrás el pasado.

Otras velas imagen que puede usar

- Las velas de calavera pueden parecer amenazadoras, pero son eficaces para leer la mente. Úselas para traer protección y curar enfermedades o lidiar con el dolor. Son efectivas para traer protección y cambios a su vida.

- Las velas de gato traen buena suerte a la magia. También atraen la energía de Venus a través de su asociación con Frigg y su magnífico carro tirado por gatos.

- Las velas de siete pomos están diseñadas para hacer más efectivos los hechizos diarios. Representan los siete días de la semana y se pueden utilizar individualmente o juntas, según las necesidades. Grabe intenciones y necesidades en las velas y enciéndalas el día requerido.

Capítulo 8: Júpiter, amplíe sus recursos

Venus atiende las necesidades emocionales, pero ahora es el momento de buscar ayuda para la abundancia y la expansión. La prosperidad y la riqueza son su objetivo, y Júpiter le ayudará. Es el rey de los planetas y el más grande del sistema solar. Júpiter era el rey de los dioses en la mitología romana y todas las plegarias pasaban por él. Gobierna los cielos con autoridad divina y es responsable del inframundo.

El glifo de Júpiter es una media luna relacionada con la luz de la materia. Las interpretaciones modernas incluyen una representación del número 24, que significa energía disponible siempre que se necesita.

Posee una energía sabia y es la máxima autoridad. Su gobierno es justo, expansivo y abierto. Júpiter tiene energía orgullosa y arrogante, pero aconseja con sabiduría y orgullo. Si Júpiter está presente en su signo, significa que le ayudará en su crecimiento astral para descubrir su potencial. Le animará a crecer y a resaltar las partes positivas de su personalidad.

Júpiter en signos de elemento agua anima a establecer relaciones y a aprender de nuevas experiencias. Muestra formas de ser más creativo e imaginativo.

En los signos de elemento fuego, estimula las ambiciones y anima a buscar un ascenso o a liberarse y convertirse en el propio jefe. Trae buena suerte en los retos y da confianza para probar cosas nuevas.

En los signos de elemento tierra incita a cambiar las reglas tradicionales y salir de la tendencia. No siga como una oveja; conviértase en alguien que cuestiona las normas y desafía a la autoridad. Júpiter también empuja a conseguir los propios deseos, material y espiritualmente. Eleva el nivel de vida y facilita el disfrute de los frutos del trabajo.

En los signos de elemento aire, ayuda a ampliar los horizontes y a aprender cosas nuevas. Piense fuera de la caja y elija actividades y eventos sociales novedosos e interesantes. Júpiter también anima a ayudar a los demás y a hacer obras de caridad o voluntariado.

Júpiter benéfico

Las personas con Júpiter en posición benéfica suelen tener estudios superiores y son hábiles en su profesión. Son mentores y de naturaleza servicial. Ofrecen consejo, pero luego se apartan para dejar que la otra persona tome sus propias decisiones.

Evitan la polémica y, aunque estén en condiciones de ayudar a amigos íntimos o familiares, solo lo hacen si las normas lo permiten. No rompen las barreras convencionales por nadie. Si alguien les desafía y se opone a sus puntos de vista, son enemigos desde ese día.

Siempre encuentran la manera de ganar dinero y vivir cómodamente. Sus familiares los ven como una fuente financiera, pero rara vez pueden aprovecharse de ellos. Son comunicadores eficaces, pero su falta de tacto hace que su comportamiento sea polémico.

Júpiter maléfico

Pueden ser físicamente atractivos, pero su estilo individualista no le gusta a todo el mundo. Ocupan altos cargos, pero tienen la moral baja y a menudo abusan de su posición.

Aunque tengan millones en el banco, sienten la necesidad de tener aún más y mienten y engañan para conseguir unos cuantos dólares más. No creen en la caridad, pero hacen donaciones para quedar bien ante la opinión pública. No se les pueden confiar secretos y cambian su confianza por el favor de otras personas.

No confían en los medios de comunicación y creen que todos los periodistas y expertos están detrás de ellos. Nombran a alguien para un puesto de trabajo y luego nombran a otra persona para que les espíe. No se fían de nadie y miran constantemente por encima del hombro.

En cuestiones familiares, creen que los hijos varones son más importantes que las hijas mujeres y discuten con ellas. Cambian sus contactos sociales en un santiamén, si eso significa que sus nuevos amigos les ayudarán a progresar.

Nunca les pida un préstamo, ya que se lo recordarán constantemente hasta que pague la deuda. Se niegan a cobrar dinero relacionado con causas espirituales o instituciones religiosas.

Júpiter está en exaltación en Cáncer

En detrimento en Géminis

En dignidad en Sagitario y Piscis

En caída en Capricornio

Deidades asociadas a Júpiter

Júpiter es el dios romano del Panteón y el dios de la luz que se concentró en ayudar a los pueblos antiguos a elaborar sus conexiones con la luz y la naturaleza en la Tierra.

Se le conocía como el dios de la lluvia con el nombre de Pluvius, y como el dios de la verdad con el nombre de Fulger. También representaba el trueno con el epíteto fulger.

Júpiter era uno de los seis hermanos engendrados por Saturno. Su padre se tragó a los cinco niños nacidos antes que Júpiter y su madre lo trasladó para protegerlo. Cuando creció, obligó a su padre a vomitar a todos sus hermanos, que se unieron a él para derrocar a su padre.

En la mitología griega

Zeus, el dios más antiguo y venerado de la mitología griega, es el padre de los dioses y era famoso por sus aventuras eróticas, que dieron lugar a una descendencia múltiple. Fue infiel a su esposa y la engañó en repetidas ocasiones.

En la mitología, se le representa con un rayo en una mano y un cetro en la otra. Gobierna el clima y suele estar acompañado de un águila dorada gigante llamada Aetos Dios, que le ayuda a gobernar los cielos.

Zeus es un dios arbitrario y tiene dos urnas. Una está llena de bendiciones y la otra de maldiciones. Las concede a los mortales en función de su comportamiento y de si le han complacido u ofendido. Es un guerrero y un salvador para sus seguidores y es el guardián de los juramentos.

En la mitología egipcia

Amón-Ra es la deidad más poderosa de la mitología egipcia y su nombre significa el creador de todas las cosas. Se creó a sí mismo y dio origen al resto del universo. Se le consideraba omnipresente y se le honraba como el dios de los dioses.

En la mitología nórdica

Odín era el equivalente de Júpiter y era conocido por su sabiduría y fuerza. Gobernaba con mano justa y equilibrada, pero también padecía de frenesí y furia. Buscaba constantemente el conocimiento y se sacrificaba para comprender los secretos del universo.

En la mitología india

Lakshmi es la diosa de la riqueza y la prosperidad. A menudo se la relaciona con el dios Vishnu y se creía que actuaba como su enviada especial. Es sabia y fértil y representa a los Trivedi, el trío de diosas indias más poderoso.

Palabras clave en la magia de Júpiter

- Expansión
- Crecimiento
- Suerte
- Buena fortuna
- Ritual
- Libertad
- Generosidad
- Lujo
- Opulencia
- Éxito
- Filosofía
- Conocimiento
- Saber
- Fe

Júpiter se asocia con los colores púrpura, salvia, turquesa, azul, verde intenso y amarillo.

Las piedras preciosas y los cristales son la amatista, el lapislázuli, la sodalita, la esmeralda, la piedra lunar, la selenita y la cornalina.

Alimentos que atraen a Júpiter

A los jupiterianos les encantan los sabores aceitosos, como los pistachos
https://unsplash.com/photos/b6bizty3pz8?utm_source=unsplash&utm_medium=referral&utm_content=creditShareLink

A las personas de Júpiter les encantan los sabores aceitosos y dulces. Si Júpiter es dominante en su signo, significa que le atraen los dulces que también son salados, como los *arisa putha* indios, que se fríen e incluyen jengibre y harina de arroz. Los pistachos y el *ghee* también están presentes en su dieta. El trigo y la cebada son los ingredientes básicos de sus alimentos favoritos que le ayudan a fortalecerse y tonifican su sistema.

Animales espirituales relacionados con Júpiter

El guepardo

De pensamiento rápido y movimientos apasionados, el guepardo representa la libertad y la exploración. Se mueve con seguridad y es un hábil cazador y protector de su familia.

El toro

Firme y valiente, la energía masculina promueve la riqueza y la prosperidad y forma parte de la banda de animales de Júpiter. Si sueña con toros, es competitivo y busca la buena vida. Si en el sueño se está comiendo un toro, necesita abordar sus dificultades y resolver disputas. Si está montando un toro, tendrá éxito en los negocios o en su carrera.

El dragón

Estas criaturas míticas representan la transformación y la motivación. Están llenos de energía inspiradora y aportan protección y autoridad a la vida. Si sueña con dragones, tendrá éxito y atraerá la prosperidad.

El águila

Están orientadas a sus objetivos y saben elevarse por encima de la tierra. Tienen una visión privilegiada y representan la libertad de Júpiter y su energía. Si sueña con águilas significa que está listo para desplegar sus alas y encontrar nuevos proyectos.

Júpiter y los viajes

Júpiter es el planeta de la positividad y apela a un fuerte sentido del descubrimiento. Anima a la gente a viajar más allá de los lugares turísticos habituales. Las personas con fuertes conexiones con Júpiter viajan por educación más que por entretenimiento. Prefieren los viajes que los lleven a sociedades y civilizaciones por descubrir para aprender de sus culturas. No encontrará signos influenciados por Júpiter en la playa, o si lo hace, será la mejor playa y la más remota de todas.

Aspectos negativos de las energías de Júpiter

Con este planeta de su lado, se tiende a creer que el éxito es fácil, lo que lleva a la autocomplacencia. Los logros naturales y la buena suerte solo llevan hasta cierto punto y se corre el riesgo de volverse perezoso. Estas personas creen firmemente que son superiores y que están muy por encima del resto de los mortales, lo que puede percibirse como arrogancia y desprecio.

Meditación guiada para invocar el poder de Júpiter

Cuando tiene una fuerte alianza con Júpiter, le cuesta dormir y a menudo está tan atrapado en sus pensamientos que le resulta difícil desconectarse. Esta meditación no está estrictamente centrada en Júpiter, sino que es un ejercicio más genérico que le ayudará a desconectar.

Siéntese en un lugar tranquilo, sin distracciones y en una postura cómoda para enfocarse en el momento presente. Concentre su mente recorriendo con el dedo corazón el contorno de la cara y la curva del cuello hasta que la mente esté quieta y concentrada.

Repita el ejercicio para relajarse aún más, pero esta vez deje que el dedo recorra todo el cuerpo. Sea consciente de la firmeza del suelo y siéntase tan ligero como una nube entre los pies y la parte superior de la cabeza.

Tóquese la frente y bendiga sus pensamientos.

Tóquese suavemente la boca y bendiga sus palabras.

Respire profundamente mientras su dedo viaja hasta su caja torácica y sienta cómo se eleva. Deje que su respiración libere la mitad superior de su cuerpo mientras comienza el viaje hacia los huesos de la cadera. Imagine dos tornillos que sujetan sus caderas y desatorníllelos para liberar su cuerpo.

Continúe bajando por las piernas hasta llegar a los muslos, las rodillas y los dedos de los pies. Al desatornillar el último meñique, sentirá que vuela y abraza la libertad. Ahora está listo para dormir. Se sentirá relajado y listo para su descanso nocturno.

Hechizos de dinero y prosperidad

La energía de Júpiter es prominente los jueves y le ayuda a obtener éxito en asuntos financieros y de prosperidad. Esta energía puede ayudarle en los siguientes hechizos y es especialmente fuerte 208 días después de su cumpleaños.

El Hechizo de la cartera

Elija una cartera roja para su hechizo y coloque un pequeño espejo entre los billetes dentro de ella. Esto le ayudará a reflejar el dinero y hacerlo doble. Bendiga la cartera con esta frase: *«Guardo mi dinero en esta cartera de color rojo rubí para que aumente; con la ayuda de Júpiter, mi trabajo nunca cesará».*

Nunca deje la cartera vacía cuando tenga un espejo dentro, ya que esto causaría falta de suerte y prosperidad.

Hable con su dinero

Todo el mundo sabe que la comunicación es la clave de una gran relación, así que ¿por qué iba a ser diferente su relación con su yo financiero? Se considera burdo y tabú hablar libremente de dinero, así que haga algo típicamente jupiteriano y rompa esa barrera social. Hable con sus amigos de asuntos financieros y elogie a las personas ricas y con éxito. Aníme a otros a interesarse más por lo financiero y a buscar la independencia económica. Recuerde que la envidia y los celos no le ayudarán. Hable con amor, respeto y positividad para beneficiarse de la energía de Júpiter.

Ahora hable directamente con su dinero y comparta sus pensamientos, esperanzas y aspiraciones con representaciones físicas reales de dinero. Saque los billetes de su cartera o monedero y charle con ellos sobre cómo deben trabajar para usted. Hablar libremente con ellos como si fueran sus amigos le ayudará a cambiar su actitud hacia la riqueza. Rompa esos tabúes y hable con su dinero.

Hechizo de la plata brillante

Los hechizos de prosperidad funcionan, pero no deben responder a la avaricia. Use este hechizo cuando necesite un poco más de efectivo, pero no para hacerse rico. Use el glifo de Júpiter o cristales para potenciar el hechizo y hacerlo más intenso.

Lo que necesita:

- Un tazón o caldero.
- Hojas de menta fresca.
- Agua dulce.
- Una moneda de plata.

Instrucciones:

1. Coloque la moneda (una moneda de diez centavos funciona bien) en el fondo del cuenco y añada el agua.

2. Deje caer las hojas de menta en el cuenco mientras repite esta frase:

   «Júpiter, las estrellas y la luna, vengan a mí y bendíganme pronto, como la luz hace brillar la plata, usen su poder para hacer mía la riqueza».

3. Deje el cuenco a la luz de la luna durante toda la noche y luego saque la moneda. Llévela con usted para la buena suerte.

Hechizo de la prosperidad

Lo qué necesita:

- Una vela verde.
- Aceite de pimienta negra.
- Aceite de vainilla.
- Una moneda de plata.
- Un lápiz afilado.

1. Unja las velas y utilice el lápiz para tallar la palabra «riqueza» a lo largo de la vela. Si tiene alguna petición específica, añádala también.

2. Coloque la moneda en un portavelas y ponga la vela encima.

3. Enciéndala y deje que se consuma por completo y cuando la moneda esté cubierta de cera, póngala en un lugar seguro para atraer la riqueza y la prosperidad.

Capítulo 9: Saturno - Manifieste su destino

Saturno es el planeta más alejado del sol y a menudo se le representa como un hombre mayor en términos astrológicos y mágicos. La energía masculina que aporta se refiere a Saturno como Chronos y tiene el epíteto de «el padre del tiempo». Su conexión mágica ayuda a tratar los aspectos financieros del futuro y a adquirir conocimientos sobre lo que se espera en todos los ámbitos de la vida.

Saturno, el planeta más remoto del sistema solar, es una fuente de energía lenta pero muy poderosa. Aporta paciencia y equilibrio y es fundamental para promover la cautela donde algunos de los otros planetas favorecen el impulso inmediato. Está en oposición al sol y a la luna y en la astronomía tradicional era considerado un planeta negativo. En términos más modernos, se reconoce que la cautela puede ser la actitud más sensata y Saturno se considera una gran energía niveladora que obliga a pensar dos veces.

El glifo de Saturno es la cruz de materia con un gancho del lado derecho que parece la letra h y representa el peso de la responsabilidad que los seres humanos cargan a lo largo de su vida.

Saturno está en exaltación en Libra

En detrimento en Cáncer

En dignidad en Capricornio y Acuario

En caída en Aries

Saturno maléfico y benéfico en su horóscopo

Cuando Saturno está en maléfico, aporta creación, talentos inusuales y capacidad de gestión exitosa. Es buscado para dar consejos y un hombro sobre el que llorar. Ayuda a sus amigos y parientes, aunque tenga que sacrificar sus posesiones o emociones, pero no es apreciado.

Tiene talentos ocultos y no alcanza el éxito a una edad temprana. Es más probable que alcance el éxito en la madurez o incluso cuando se jubile. Está cerca de sus padres y a menudo sigue viviendo en su casa, aunque tenga los medios para mudarse. Su vida se centra en el trabajo, lo que significa que no tiene la misma relación con sus hijos que con sus padres.

Dotado de un gran sentido de confianza en sí mismo, defiende sus puntos de vista cuando cree que tiene razón y, como algunas personas le tienen miedo, no escucha la verdad de los demás. A la gente le resulta más fácil estar de acuerdo y seguir adelante que atraer la ira que le puede causar que otros no estén de acuerdo.

Tiene éxito en la mayoría de los campos, pero es probable que pierda dinero en negocios inmobiliarios. Se siente atraído por las carreras de banca, construcción, emprendimiento, enseñanza e historia, donde siempre da el 110% a su trabajo, descuidando su vida social y familiar.

Saturno benéfico

Son muy centrados, lo que significa que son grandes investigadores. Complican las cosas y convierten simples obstáculos en grandes causas de estrés. La mayoría de ellos son servidores de la humanidad y dedican su vida a encontrar curas para los males del mundo. Se niegan a anteponerse a sí mismos y a su familia y a menudo dejan que sus finanzas sufran por el bien de los demás.

A pesar de ello, sus familias y amigos comprenden lo que les mueve y son indulgentes y cariñosos con ellos. Tienen fuertes lazos familiares y una moral inquebrantable. Trabajan con un alto nivel de exigencia, se imponen un código de vida estricto y se oponen a la corrupción y a la injusticia.

Las personas con Saturno en posición benéfica se dedican a resolver los problemas de raza, discriminación y cualquier prejuicio en el mundo. Su amor por los animales y la vida salvaje es evidente y su compasión y disciplina en general serán un buen ejemplo para las generaciones futuras.

Cuando se alinea con signos de agua, favorece una tendencia a guardar rencores y a aislarse. Se niegan a curarse emocionalmente y prefieren quedarse en el pasado antes que seguir adelante.

En los signos de fuego, limita las actividades placenteras centrándose en creencias más rígidas. Promueve el sacrificio y la autolimitación para dedicar más tiempo a la caridad y a pasatiempos dignos que a los más egocéntricos.

En los signos de tierra, indica cautela. Las personas de esta categoría no son disruptivas y prefieren dejar que otros asuman riesgos mientras se aferran a los métodos y creencias tradicionales.

Deidades asociadas a Saturno

En la mitología romana, Saturno era el dios de la agricultura y el responsable de enseñar a los antiguos romanos a cultivar la vid y la tierra. Gobernaba con dos caras representadas por sus dos esposas. Una se llamaba Ops y era la diosa de la opulencia y la abundancia, mientras que Lua era la diosa de la destrucción. Saturno era civilizado, pero tenía un lado violento.

Su costumbre más famosa se llamaba Saturnalia y era una semana llena de banquetes y juegos de beber. Los gladiadores luchaban y se hacían regalos. Amos y esclavos intercambiaban papeles y era un momento para que la gente se relajara y olvidara las estrictas normas de la sociedad romana.

En la mitología griega

Cronos era el equivalente griego y estaba relacionado con las estaciones y el paso del tiempo. Era el más joven de los titanes y se sentaba solo en los campos Elíseos. Castró y derrocó a su padre, se casó con su hermana y engendró a sus seis hijos.

En la mitología de los nativos norteamericanos

Kokopelli era el dios de la agricultura y un famoso embaucador. Tocaba la flauta para anunciar el final del invierno y el comienzo de la primavera.

En la mitología celta

Dagda era el dios de la agricultura y se le representaba tocando el arpa. Era un hombre mayor y sabio que dispensaba su sabiduría al pueblo irlandés. Era el responsable de que las estaciones del año aparecieran en el orden correcto.

En la mitología egipcia

Neper era el dios del grano, y Nepit era la diosa cuyo cuerpo estaba marcado con puntos para representar el maíz. Se les conocía como el señor y la señora de la boca para mostrar la importancia del grano en la alimentación de los humanos.

En cuanto a la energía planetaria, Saturno es único porque representa las limitaciones, sea cual sea la posición en el plano astral. Es la energía sólida que le devuelve a la Tierra y le hace replantearse las cosas. Su energía es la piedra angular de la vida que nos convierte en seres responsables y nos recuerda que los demás importan.

Palabras clave para Saturno

- Límites
- Control
- Previsión
- Estructura
- Fronteras
- Conservación
- Fortaleza
- Muerte
- Sabiduría
- Conocimiento
- Oscuridad y luz
- Negación
- Salida
- Tiempo
- Mentor
- Responsabilidad
- Introspección
- Herramientas

- Cerraduras
- Frío
- Hielo
- Miedo

Saturno es el planeta de las limitaciones, pero nos hace abordar nuestra finitud. ¿Dónde estaríamos si no respetáramos las fronteras y las reglas? Marte enseña a luchar y Júpiter trae suerte, pero Saturno controla el exceso de entusiasmo y enseña que no hay sustituto para el trabajo duro y la diligencia.

Saturno se asocia con los colores negro, gris, azul, naranja y amarillo, que representan el lado más claro de la psique del planeta.

Las piedras preciosas y los cristales de este planeta incluyen la turmalina negra, el cuarzo cristal, la lágrima de apache, la hematite y la obsidiana.

Alimentos asociados a Saturno

Los alimentos amargos y picantes atraen la energía de Saturno, por lo que consume comidas pequeñas con frecuencia en lugar de comidas copiosas a horas señaladas. Los alimentos saludables y astringentes como las manzanas, las granadas, el aguacate, las raíces y los plátanos verdes les ayudan a evitar los alimentos grasos. Reconocen la importancia de los alimentos que desintoxican el cuerpo y la sangre e incluyen espinacas, infusiones, limón y cúrcuma en sus platos para hacerlos sabrosos y saludables.

Animales espirituales relacionados con Saturno

El perro

Leales y valientes, los perros representan la parte firme de la energía de Saturno. Son protectores y pacientes, pero también dan amor incondicionalmente.

El halcón

Los halcones tienen un equilibrio perfecto y pueden ver a kilómetros de distancia. Representan la energía previsora del planeta y traen felicidad y claridad al mundo.

El gusano

Esta humilde criatura a menudo se pasa por alto, pero forma parte integral del mundo animal. Saturno es el patrón de toda la fauna y saluda incluso al eslabón más pequeño. Los gusanos son expertos en ocultarse y representan la transformación y la mutación.

El ratón

Lleno de sigilo y comprensión, el ratón es señal de buen ojo para los detalles y de conexión a tierra. Posee una modestia e inocencia naturales.

La medusa

Con total transparencia e intención, la medusa es hermosa, pero puede traer dolor y, a veces, la muerte. Saturno tiene la misma energía con su forma distintiva y sus profundidades ocultas.

Rituales que invocan a Saturno y su poder

El sábado es el día preferido para realizar cualquier ritual de Saturno, así que intente sacar tiempo para esta forma de crear un altar de Saturno.

Lo que necesita

- Seis velitas blancas.
- Una vela negra grande.
- un quemador de incienso.
- Aceite de sésamo.
- Aceite esencial de mirra.
- Agua clara de una fuente natural.
- Sal gruesa.
- Arroz negro.
- Semillas de mostaza negra.
- Un encendedor.
- Vasos pequeños para las ofrendas.

Instrucciones:

1. Agarre las seis velas de té para representar a los otros planetas y colóquelas en círculo alrededor de la vela negra.

2. Añada agua a los vasos y ponga una pizca de los ingredientes secos en cada uno.

3. Coloque el aceite de mirra y el aceite de sésamo en el incensario, ubíquelo a la derecha de la vela negra y enciéndalo.

4. Forme un triángulo con los vasos a la izquierda de la vela negra.

5. Encienda cada una de las seis velas en relación con el poder que ejercen y el respeto que les profesa.

6. Ahora encienda la vela negra y recite la siguiente dedicatoria a Saturno:

   «Señor del séptimo cielo, poderoso Saturno, te pido que ilumines con tu luz este espacio. Mantennos a salvo e iluminados con tu poder y muéstranos el camino a seguir. Llena nuestra alma con tus bendiciones y ayúdanos a tomar decisiones que nos beneficien, tanto a nosotros mismos como al mundo».

7. Deje que las velas se consuman de forma natural una vez haya completado el ritual y, a continuación, dese un baño espiritual. Límpiese a fondo y entierre la cera en el jardín.

Saturno es una energía complicada y prefiere los actos cotidianos para complacerlo en lugar de las demostraciones más rituales. Es benévolo y cree en la ayuda a los demás. Aquí tiene algunas formas de apaciguarlo y recibir su energía:

1. **Pague sus deudas kármicas:** Saturno es el señor de las deudas kármicas y fomenta su pago. Ofrézcase como voluntario o done su tiempo y dinero a causas nobles para pagar los errores kármicos que haya cometido en vidas anteriores. En sánscrito, estas deudas se llaman danam y saldarlas ayuda a que los extraños se conviertan en amigos y hace que los enemigos sean menos hostiles.

2. **Comparta comida con los demás el sábado:** ¿Qué hay mejor que sentarse con los amigos y la familia a compartir una comida? ¿Por qué no ampliar esa sensación compartiendo comida con los menos afortunados que usted? Organice un evento en su jardín o en un espacio local para dar de comer a personas sin hogar o a familias que viven en la miseria. Anime a otras personas a echar una mano y haga que el acto sea alegre y satisfactorio.

3. **Alimente a los pájaros:** Saturno anima a todos a alimentar el alma y el cuerpo, así que dedique el mismo tiempo a la vida

silvestre. Alimentar a los pájaros en la naturaleza es placentero y digno.

4. **Dedique el sábado a hacer lo que debe hacer:** Cuántas veces ha pospuesto trabajos serviles y aburridos porque «es fin de semana» y ha dedicado el tiempo a trabajos más placenteros. Recuerde que Saturno representa el trabajo que hay que hacer y a las personas que deben trabajar sin importar el día o la hora. Únase a ellos y dedique su tiempo libre a las tareas que debe hacer.

5. **Organícese:** A Saturno le encanta la disciplina, así que eliminar el desorden y los escombros de su vida hará más evidente su intención de conectar con él. Haga una lista de tareas y empiece a encarrilar su vida. Elimine el desorden mental y físico obviando la comunicación con personas que ya no tienen relevancia en su vida. Sí, así es, deshágase de sus parejas o amigos del pasado a los que pueda tener la tentación de acercarse. Hay una razón por la que no los tiene en su vida y es el momento de hacer la ruptura.

6. **Camine descalzo sobre la hierba:** Saturno quiere que seamos más humildes, y quitarse los zapatos y sentir la hierba entre los dedos de los pies es un gran comienzo. Nos muestra que la debilidad y la conformidad no son formas negativas de pensar. La hierba no soporta fuertes tormentas manteniéndose erguida. Sabe que la única forma de sobrevivir es agacharse y refugiarse hasta que pase la tormenta. Toma fuerzas de la tormenta y sale renovada y más viva que antes. Aprenda de la hierba y sepa cuándo es el momento de agacharse en lugar de poner la cabeza por encima del techo.

Saturno también anima a responsabilizarse de la propia vida mediante el seguimiento constante. Si tiene sobrepeso y sabe que es porque come demasiado, empiece a controlar sus calorías y su nivel de ejercicio. ¿Está emocionalmente agotado por la gente que tiene en su vida? Haga un seguimiento de cómo se siente cuando está en su compañía. Utilice los resultados para hacer cambios y ser más responsable emocionalmente. Conocer los problemas es el primer paso hacia cambios importantes y a Saturno le encanta la idea del seguimiento.

Capítulo 10: Construcción de un altar planetario

Los altares ayudan a enfocar las intenciones
https://www.pexels.com/photo/a-person-putting-golden-plate-with-food-on-the-altar-8818668/

Puede trabajarse con los planetas desde cualquier lugar. De todas formas producirá resultados, pero construir un altar ayuda a enfocar las intenciones y concentrar los esfuerzos usando un espacio designado para realizar magia. ¡Y se ve increíble!

Puede ser un lugar para la meditación y la reflexión y un centro activo para su trabajo. Los altares se han utilizado durante milenios como lugares sagrados para ofrecer comida y realizar ritos de paso. Proporcionan a las comunidades un espacio común para el culto y han evolucionado de simples ensamblajes de madera a estructuras más elaboradas. Representan las estaciones del año, al dios o dioses venerados y, a menudo, exhiben representaciones de otras deidades e influencias.

En primer lugar, no hay reglas fijas para los altares. Es su lugar sagrado, así que haga que sea relevante para usted y sus creencias. No debe ser una tarea que lo intimide o lo estrese. El proceso debe ser alegre y edificante para su alma y su espíritu. Hágalo auténtico y elija objetos que hablen a su alma; su espacio sagrado es un lugar poderoso para canalizar su energía y sentirse como en casa.

Elija su espacio

Dependiendo del espacio del que disponga, puede elegir desde una habitación entera hasta una pequeña caja. Algunas personas crean altares del tamaño de una caja de zapatos que pueden llevarse consigo mientras otras optan por un espacio más fijo, pero como con todas las cosas relacionadas con su altar, la elección es suya.

La mayoría de la gente elige una superficie natural para formar la base de sus altares, como un estante decorativo de madera, una piedra o un mármol, dependiendo de su presupuesto. Algunas tablas de cortar de cocina tienen decoraciones increíbles y son bases ya hechas que se pueden comprar en tiendas de cocina. Recuerde que la base de su altar dicta cuántos objetos puede colocar en él y lo fácil que será montarlo o desmontarlo. Asegúrese de que la base esté a una altura cómoda para trabajar. Algunas personas prefieren trabajar sentadas y utilizar un altar más bajo.

Dado que el trabajo con planetas es más eficaz con luz natural, es mejor que coloque su altar cerca de una ventana u otra abertura que le permita a la luz iluminar la superficie. La posición en la que coloque su altar puede vincularlo con los diferentes elementos. El norte está relacionado con la tierra, el este con el aire, el sur con el fuego y el oeste con el agua. Si coloca el altar sobre un soporte móvil, podrá girarlo en distintas direcciones en función de sus intenciones.

Decore el espacio

Está trabajando con los cuerpos celestes, así que reconózcalo con una decoración basada en los planetas. Hay cientos de estilos entre los que elegir y puede comprar manteles planetarios, calcomanías, guirnaldas colgantes y arte mural que brilla en la oscuridad, que son elementos a la vez decorativos e informativos. Por suerte, los planetas atraen a mucha gente, así que es fácil conseguir estos artículos por muy poco dinero. También puede conseguir una iluminación eficaz que proyecte imágenes del sistema solar en las paredes y el techo por menos de treinta dólares en Amazon.

Ahora elija algunos objetos de su casa que lo representen. Puede utilizar una pequeña joya o su cristal favorito. Elija objetos que signifiquen mucho para usted para demostrar a los planetas que sus intenciones son firmes. Si compra cosas, especialmente para el altar, elija artículos sostenibles que sean buenos para el planeta.

Herramientas que debe tener en su altar

Dependiendo de sus gustos, puede optar por llenar su altar con herramientas como:

- Varita - Puede hacer la suya propia o elegir una ya hecha con su madera favorita para concentrar la energía en lugar de usar los dedos o las manos.
- Escoba - Una escoba mágica que puede usar para limpiar las energías negativas.
- Velas.
- Caldero o cuenco - Para mezclar sus pociones y hacer infusiones.
- Minerales y cristales - Escoja una piedra representativa de cada uno de los planetas y utilícela para concentrar su intención.
- Plantas y flores - Dele vida a su altar con plantas, que a su vez darán vida a sus hechizos. Las flores simbolizan salud y vitalidad.
- Un espejo - Para crear luz y abundancia.
- Estatuas de sus deidades favoritas.
- Un pentagrama.
- Objetos que representen los elementos - Una jarra de agua, una vela, una pluma y una vasija de tierra le ayudarán a utilizar los elementos en sus hechizos.
- Hierbas secas.

- Aceites esenciales.

- Objetos que representen sus deseos - Dinero en monedas o billetes, piedras curativas, corazones rojos para el amor o cualquier otra cosa que le guste.

Obtén algunas ideas de otras personas

No hay ninguna razón por la que no pueda inspirarse en las ideas de otras personas. Pinterest e Instagram tienen un montón de diseños coloridos e inspiradores. Incluyen altares paganos y *wiccanos*, que están diseñados tanto para interiores como para exteriores. ¿Por qué no utilizar su espacio exterior para crear un santuario natural dedicado a los planetas y dar la bienvenida a su energía?

Utilice cuencos que representen los cuatro elementos y llénelos con los objetos correspondientes. Esto le ayudará a moverlos cuando sea necesario para que pasen al frente del altar en un hechizo determinado. Su altar debe ser hermoso y usted debe sentirse como en casa. Cuando consiga ese nivel de amor y satisfacción, su altar estará listo para ser usado.

Monte su altar y úselo. Cuanto más utilice su espacio sagrado, más eficaz será. No limite su espacio solo al trabajo mágico. Utilícelo para meditar y practicar yoga. Siéntese en su espacio y escriba un diario o lea en silencio, rodeado del amor del planeta. Haga que el tiempo que pase allí sea especial y no lo utilice como almacén ni como depósito. Manténgalo libre de desorden y deje que las energías naturales fluyan libremente. El desorden y los desechos impedirán que sea eficaz.

Limpie su altar con regularidad

Su altar es su templo, así que trátelo con respeto y amor. No lo descuide y asegúrese de prodigarle su amor y atención. Límpielo regularmente con sal y agua para purificar el espacio y desterrar la energía negativa. Limpie la zona con salvia e incienso y haga que sea atractiva para su alma.

Ponga regalos y ofrendas a los planetas, como comida y bebida. Traiga cristales y otras piedras para decorar y hacer especial su espacio. Haga que sea una representación superior de su verdadero yo y muéstrele amor y respeto con regularidad. A algunas personas les gusta empezar el día dedicando tiempo a su altar y terminarlo en el mismo lugar. Esto ayuda a poner los pies en la tierra, a concentrarse por la mañana y a relajarse antes de dormir.

Puntos clave para recordar

- Su altar debe estar en un lugar seguro y libre de energías negativas.
- Confíe en su intuición para decidir qué incluye.
- Debe ser divertido y estar lleno de alegría.
- Los objetos del altar deben evolucionar a medida que usted lo hace.
- Debe hacerlo sentir especial.
- Debe desear pasar tiempo allí.
- Es un recordatorio constante de sus deseos y objetivos.
- Le ayuda a dirigir y canalizar su energía.

Altares portátiles

Durante la Primera Guerra Mundial, se designaron capellanes militares para atender las necesidades de los soldados en el campo de batalla. Esta situación única de los combatientes significaba que los cristianos estaban matando a otros cristianos en masa y la necesidad de sus servicios aumentó. Todos los cuerpos militares tenían capellanes, y sus altares se pueden ver en los museos.

Su altar portátil debe ser ligero, portátil y adecuado a sus necesidades. Puede ser del tamaño de un maletín o tan pequeño como una caja que pueda llevar en el bolsillo. Puede que prefiera una bolsa para transportar los componentes de su altar, de modo que sirva también como mantel, o una caja con un diseño en la tapa.

Incluya elementos de los planetas. Una ramita pequeña, una piedra plana o un frasco de sal para la tierra o un pentáculo pequeño.

El aire puede representarse con una pluma, una varita pequeña o una varita de incienso.

El fuego puede representarse con una cerilla o un encendedor.

El agua puede representarse con un frasco de líquido o una concha marina.

Añada algunos pequeños cristales y hierbas a su altar e incluya en él sus objetos favoritos. Puede utilizar el recipiente más pequeño como altar portátil; representa sus intenciones y eso es lo que importa.

Si lo prefiere, puede comprar un kit de altar que ya contiene aerosoles, tela de altar, cristales e incienso. Esto le da la oportunidad de crear un espacio zen para practicar sus adivinaciones planetarias.

Guía adicional de siete días para conectar con los planetas

Ya sabemos cómo se relacionan los planetas con los días de la semana y que los nombres modernos de los días a menudo provienen directamente del nombre del planeta con el que se alinean. Utilizar estas conexiones ayuda a formar un vínculo más fuerte con los poderes astrales y aporta una forma cotidiana de magia a sus rutinas habituales.

Utilice estos temas cósmicos junto a lo que ya sabe sobre los planetas para hacer que cada día sea especial y utilice la energía de la forma que crea natural para adaptarse a su horario.

Lunes

El día de la luna y el comienzo de la semana laboral de la mayoría de la gente se describe como maníaco y estresante. Al ser un día de comienzo de trabajo, puede ser frenético y estar lleno de trampas emocionales. La luna es un planeta femenino muy cargado emocionalmente y afectará a su estado de ánimo. Haga todo lo que pueda para ser consciente de su energía y utilícela para que su día sea más satisfactorio y menos agotador.

Ropa

Vístase de blanco siempre que pueda y evite los colores que resten energía. Recuerde que la luna se asocia a menudo con deidades femeninas triples, así que cambie su atuendo para reflejarlo. Honre a la doncella llevando joyas o accesorios divertidos, incluso cuando deba vestir de forma conservadora.

Alimentos

Tenga cuidado con lo que come, ya que la luna afecta a su digestión. El lunes no es el momento de probar alimentos nuevos, ya que la luna rige su cuerpo y está acostumbrada a sabores determinados.

Meditar por la mañana

Tómese diez minutos para enraizar su energía en su altar o en su jardín. Siéntese en un cojín y cierre los ojos antes de inhalar profundamente y contener la respiración. Tómese este tiempo para reflexionar sobre lo que espera del día que tiene por delante y visualizar cómo progresa. Suelte el aire lentamente y pida a la luna que le ilumine hoy.

Repita el ejercicio de respiración durante diez minutos y luego abra los ojos lentamente. Levante los ojos al cielo y agradezca la energía lunar que ha invocado.

«Madre luna, te pido que me mantengas a salvo y me acompañes en mi viaje; trae tu amor y tu energía femenina a mi mundo».

Darse un baño de luna por la noche

Si tiene bañera, el lunes es el momento perfecto para darse un baño y remojarse. Añada hojas de salvia blanca y sal rosada del Himalaya al agua caliente y sumérjase suavemente en ella. Coloque una vela blanca en cada esquina de la bañera y enciéndalas con cuidado. Escriba en un papel con un bolígrafo sus intenciones, sueños y esperanzas. Mientras se relaja, visualice el futuro y lo que le depara.

Cuando salga del baño, séquese de la forma más natural posible y coloque el papel bajo un cristal importante de su altar. Apague las velas y vuelva a su rutina habitual. Termine el día con un té de la luna hecho con sus hierbas favoritas y relájese en su cama con una energía relajante, listo para dormir.

Establecer intenciones lunares

El lunes es el mejor momento para fijar intenciones y estas pueden ser tan variadas como quiera. Utilice velas para hacer un cordel de intenciones con los colores correspondientes y enumere lo que quiere de su vida amorosa, su carrera profesional y otros aspectos importantes de la vida. Haga de esto un proyecto divertido al que pueda ir añadiendo cosas a medida que avance la semana. Utilice imágenes visuales para darle más impacto y bolígrafos de colores para hacerlo más artístico.

No sea demasiado duro consigo mismo

Las emociones del lunes pueden ser brutales y la energía lunar que siente puede llevarlo a una montaña rusa. Honre y reconozca estas emociones, pero no se altere por ellas. Su energía lunar forma parte de la gran aventura de la vida, así que súbase a bordo y disfrute del viaje.

Martes

Marte rige este día y trae su energía apasionada y ardiente a la vida. Es hora de dejar de contemplar y empezar a hacer. Adopte el estilo de vida de fuego y azufre y progrese en las áreas que le apasionan. Marte le aportará esa energía de arranque que necesita para determinar el camino de su vida. Puede que sea el tradicional segundo día de la semana, pero es el primero para la energía y la dominación.

Ropa

Lleve su pasión con orgullo y vístase en tonos rojos, granates o escarlatas y luzca como el guerrero en el que quiere convertirse. Lleve piedras preciosas como granates o corales rojos y celebre el número nueve.

Comidas

Prepare un curry picante en su olla de cocción lenta para la cena o planee una sabrosa comida para llevar de su restaurante favorito. El martes puede parecer mundano a la mayoría de la gente, pero usted sabe que no es así. El martes es el día del fuego y la fuerza, así que celébrelo y tome alimentos que enciendan sus pasiones.

Meditar por la mañana

Vista su altar con objetos rojos y encienda tres velas rojas. Ubíquese delante del altar y levante las manos hacia arriba. Respire hondo y diga:

> *«Señor de Marte, te pido que tomes mi mano y mi corazón para ayudarme a avanzar hoy, haz que mis pasos sean valientes y decididos mientras busco mi propósito».*

Donar

Si hace alguna donación, hágala un martes. Puede regalar ropa roja o artículos de cobre para señalar su conexión con el lado benévolo de la personalidad de Marte. Regale a sus amigos y familiares flores rojas de hibisco para mostrarles su amor y aprecio.

Ir al gimnasio

Saque tiempo antes de empezar el día para hacer ejercicio o ir al gimnasio. El ejercicio físico aumenta el ritmo cardíaco y pone al límite las endorfinas. Anímese este día y dígase a sí mismo que obtendrá resultados.

Únase a nuevas organizaciones

Es hora de ampliar sus horizontes y buscar nuevos contactos. ¿Hay grupos sociales en su lugar de trabajo? Pregunte por ahí, porque nunca se sabe. Puede que se una a un grupo que le permita brillar ante personas que normalmente no entrarían en contacto con usted. Las oportunidades no vienen solas y, a veces, debe crear su propia suerte.

Realice un ritual de Marte por la noche

Tome una vela roja y dibuje el glifo de Marte en un lado. Encienda una varilla de incienso apropiada, como sangre de dragones, y encienda la llama de la vela. Mire fijamente la llama y visualice la energía fluyendo como una corriente de lava fundida hacia su cuerpo. Sienta el calor a medida que la energía de Marte llena sus venas. Cuando haya completado el ritual, agradezca a la energía de Marte y abra los ojos. Apague la vela y agradezca al universo su experiencia.

Tomar un baño ritual

Utilice sándalo, semillas de mostaza, vainilla y aceite de hisopo para preparar un baño refrescante. Coloque cuatro velas rojas a cada lado de la bañera y enciéndalas. Mientras se baña, visualice lo que conseguirá mañana y pasado. ¿Quién reconocerá su talento y qué ocurrirá cuando lo hagan?

Ahora váyase a la cama y sueñe con lo que puede ocurrir cuando trabaja con el poder de Marte. Cree y cambie, pero recuerde salir victorioso.

Miércoles

Mercurio es el planeta regente de este día crucial y esto lo convierte en el momento perfecto para poner las cosas en orden. El nombre del día en inglés tiene su origen en Odín, el dios nórdico, así que quizás pueda dedicar un rato a rezar una oración en su nombre y ofrecer un regalo en su altar a su sabiduría. Odín también era un dios travieso con muchas cualidades humanas, por lo que el miércoles es un día para realizar actividades divertidas y reunirse con los amigos.

Ropa

Para celebrar la energía del miércoles y de Mercurio, vista de morado o verde con toques de amarillo o naranja. Aunque parece que estos colores no combinan, no tienen por qué ser su atuendo completo. Represéntelos con accesorios o joyas.

Alimentos

El miércoles es un día ajetreado para la energía planetaria, así que mantenga sus comidas ligeras y considere la posibilidad de tener un día de desintoxicación. Limpiar su sistema digestivo le ayudará a centrarse en asuntos mentales más urgentes y le preparará para un día de actividades exitosas. Su cuerpo lo agradecerá y su mente se sentirá más despejada y enfocada.

La cantidad de alimentos que contienen aditivos y sustancias químicas tóxicas es alucinante. Nunca antes habíamos incluido un número tan elevado de aditivos e ingredientes no naturales en nuestras dietas. Quizá lo más inquietante es que las empresas que los fabrican los declaran saludables y nos animan a consumirlos.

Pruebe estos alimentos saludables para acabar con las toxinas

- Los limones son la mejor fruta detox que puede encontrar. Añada unas gotas a su té o beba agua de limón para estimular su metabolismo.

- Los aguacates son sanadores naturales del hígado. Sus ácidos grasos y su riqueza en nutrientes los convierten en grandes favoritos para la desintoxicación.

- Las manzanas contienen pectina, que ayuda a limpiar el torrente sanguíneo.

- El ajo potencia la desintoxicación y protege el ADN.

Organizarse

Haga del miércoles su día para poner en orden esos correos electrónicos, deshacerse de archivos viejos en sus dispositivos y tomar algunas decisiones importantes. Si lleva un diario de manifestación, asegúrese de escribir en él y ser honesto con su progreso.

Pida ayuda a Mercurio

Tómese un tiempo antes de acostarse para honrar a Mercurio colocando citrino y ágata en su altar. Encienda una vela morada y espolvoree un poco de romero en su altar.

Cuando se vaya a la cama, cierre los ojos y visualice lo que le espera. El éxito y los lazos familiares deben fortalecerse y celebrarse.

Jueves

Este día de la semana lleva el nombre en inglés de uno de los personajes más populares de Marvel y de un poderoso dios nórdico, Thor. El planeta del jueves es Júpiter, que llena el día de masculinidad y consagración. Es un día para la buena suerte, la prosperidad y la limpieza.

Colores

Hoy puede vestirse con lo que quiera. La fuerza de la energía que le rodea significa que incluso si se vistiera con una bolsa de basura, su personalidad y confianza en usted mismo le permitirían llevarlo con aplomo.

Resolver asuntos legales

¿Ha estado posponiendo cosas porque son complicadas y estresantes? Abrace la nueva era de organización que empezó el miércoles y dé un paso más para ocuparse de los asuntos serios. Si tiene asuntos legales, evalúe si se siente lo bastante seguro para resolverlos usted mismo o si ha llegado el momento de llamar a los profesionales.

Cambiar su suerte

Júpiter es el planeta de la buena suerte y el jueves es el día para poner a prueba ese poder. Nadie le sugiere que apueste o compre billetes de lotería, a menos que se sienta cómodo con eso, pero es el momento de eliminar cualquier mala suerte que afecte a su vida.

Vista su altar con amatistas y turquesas y espolvoree un poco de canela y ajo sobre la superficie. Encienda una vela blanca ungida con su aceite esencial favorito y pronuncie la siguiente frase:

«Poderoso Júpiter, elimina mi maleficio y haz que mi vida sea afortunada, trae prosperidad y riqueza a mi hogar y bendíceme con tu poder».

Cambiar el karma

La mala suerte puede ser el resultado de un karma negativo de vidas anteriores, así que utilice los jueves para cambiar eso. Practique buenas acciones desinteresadas y que atraigan el buen karma. Deje que alguien pase en la fila antes que usted y ponga un billete de un dólar bajo el parabrisas de cinco coches diferentes. Si ve un parquímetro a punto de agotarse, eche una moneda en él. Sus actos desinteresados aumentarán sus depósitos kármicos y le ayudarán a cambiar su suerte.

Practicar la ley de la atracción

Elija su postura de meditación favorita y cambie de perspectiva. Invierta más en su crecimiento espiritual y deje ir la negatividad. Encienda una vela y pida a Júpiter que atraiga la fortuna a su vida. Cree un tablero de visión en su mente y llénelo de fotos o imágenes de lo que desea. Cree grupos de sus sueños. Por ejemplo, haga una sección para su vida doméstica, otra para su vida amorosa y otra para su carrera profesional. ¿Tiene necesidades o deseos específicos? Añádalos también.

Por supuesto, puede ser más proactivo y hacer un verdadero tablero de visión para representar físicamente sus deseos. Recuerde hacerlo de la forma más honesta posible. Si sueña con conducir un coche deportivo llamativo, represéntelo en su tablero. Escriba su agradecimiento al universo en el centro y colóquelo en la zona de la riqueza de su casa. Si no sabe dónde está, párese en la puerta de su casa y camine decididamente hacia el punto más al sureste de su hogar.

Viernes

Este día recibe su nombre en inglés de Freya o Frigg, las diosas nórdicas. Aunque las dos diosas pueden reclamar el viernes, tienen personalidades muy similares y comparten las mismas cualidades. En términos planetarios, el viernes está regido por Venus y ella aporta el poder del amor y la pasión a este día.

Colores

Vístase de rojo y rosado con alegría y amor. Muestre su lado alegre y lleve el corazón a flor de piel. Añada accesorios plateados y blancos para señalar su intención de llenarse de amor y pasión.

Comida

Organice espléndidos banquetes para sus seres queridos. Invítelos a su casa y celebre la unión que siente cuando comparten su espacio. Si le apasiona su hogar, comparta esta energía con los demás.

Tener una cita por la noche

Anteponer a los demás a su relación puede convertirse en un hábito si tiene pareja. Pueden descuidarse el uno al otro y distanciarse. Para cambiar esta situación, organice una cita los viernes y pídale a otra persona que cuide de los niños. Vayan a un buen restaurante y comprométanse a hablar de todo menos de los niños, la casa y otros temas cotidianos. Hablen del futuro y de las vacaciones. Hagan de la noche un momento para redescubrirse el uno al otro y recordar por qué se enamoraron al principio.

Descubrir el amor propio

Si está soltero, también puede aprovechar la energía amorosa y apasionada de Venus. Vista su altar con pétalos de rosa y flores de hibisco y espolvoree lavanda. Añada piedra lunar y cuarzo rosa y encienda velas rojas y rosadas. Pídale a Venus que traiga el amor a su vida y encuentre a su pareja perfecta o pídale que bendiga su soltería y llene su corazón de amor por usted mismo.

Una vez completado el ritual, regálese una mascarilla facial, una manicura y pedicura y un baño relajante. Añada aceites esenciales y encienda velas rojas para crear un refugio perfecto en el que relajarse.

Ver una película romántica

Aunque el viernes es tradicionalmente una noche para socializar, póngase de humor para el amor viendo una película romántica. No tiene por qué ser una historia de amor tradicional, ya que hay muchas películas que tratan de todo tipo de amores. Marley y yo, una película protagonizada por Owen Wilson y Jennifer Aniston, trata sobre la familia y el amor que comparten con sus hijos, con ellos mismos y con la mascota favorita de la familia. Tenga en cuenta que en algún momento necesitará un pañuelo de papel.

Atraer el amor

¿Se ha enamorado de alguien? Intente atraer su atención lanzando un hechizo de amor, escribiendo su nombre en un trozo de papel y colocándolo debajo de una vela roja en su altar. Pídale a Venus que le haga saber que está interesado y siéntese a esperar. Si está predestinado, pronto se pondrá en contacto con usted.

Hacer algo físico

Si hace tiempo que no tiene intimidad con su pareja, haga del viernes la noche del amor. Sea sexy y vístase con su mejor ropa de dormir o sin ropa para enviar señales a su otra mitad. Atrévase y dedique tiempo al sexo y al romanticismo. Tomen un baño juntos o dense una ducha rápida para que fluya la pasión. No se repriman, recuerden esas primeras sensaciones en las que no podían saciarse el uno del otro.

Intenten recrear esas pasiones y pasen una noche llena de acción caliente y apasionada.

Sábado

Regido por Saturno, es un día para motivarse y ser proactivo. Sin embargo, también es un día para relajarse. Divida su día en diferentes secciones y utilice la primera parte del día para aclarar cualquier trabajo pendiente de la semana anterior. Prepare las comidas de la semana en papel o físicamente para asegurarse de que tiene cubiertos los horarios de las comidas.

Planificar con antelación

Una vez establecido el plan de comidas, es hora de organizarse y organizar a las demás personas que tengan planes para la semana. ¿Los niños tienen compromisos deportivos o sociales? Asegúrese de que el equipo o la ropa que necesiten estén lavados y apilados, listos para meterlos a sus mochilas. ¿Tiene reuniones o presentaciones en el trabajo? Compruebe que tiene la ropa adecuada en su armario, lista para usar y combinada con los accesorios pertinentes.

Tomar un desayuno energético

Saturno engloba energía, así que prepare su cuerpo para un día activo. Coma avena y bayas para tener energía duradera y facilitar la digestión. El aguacate en una tostada le mantendrá saciado hasta el almuerzo y le aportará antioxidantes. El yogur y los arándanos son súper sabrosos y están repletos de calcio y proteínas, mientras que la col rizada y el queso de cabra son bajos en calorías y están repletos de proteínas.

Realizar un ritual de Saturno

El sábado es el momento perfecto para crear una zona segura para su energía espiritual. No es tan confrontativa como la energía de Marte. Simplemente reduzca el calor de las balas espirituales que vienen hacia usted.

Decore su altar con velas amarillas y negras y añada ónice y azabache a la superficie. Dibuje el glifo de Saturno y añada las letras H y T para representar el corazón y la verdad. Unja las velas con aceite de menta y añada musgo al altar. Pida a Saturno que le proteja de los ataques espirituales y le mantenga seguro y fuerte. Pídale ayuda para localizar cosas o personas que haya perdido o extraviado. Libere su energía y comience una transformación de sí mismo canalizando la energía de

Saturno.

Domingo

El día del sol y de todos sus poderes rejuvenecedores. La mayoría de la gente experimenta ansiedad los domingos, sobre todo en temporada escolar. Esa terrible sensación de haber olvidado algo o no haber hecho los deberes, de que el equipo de gimnasia no está listo o de haber perdido parte del uniforme. Por desgracia, ese nivel de ansiedad continúa en la vida adulta.

Colores

Refleje la energía del sistema solar vistiendo colores brillantes y ropa que le haga sentir feliz. Siéntase relajado y feliz con ropa cómoda, pero recuerde reflejar su felicidad en los demás. Lleve sus joyas y accesorios favoritos para demostrar que se ha esforzado.

Relajarse y desconectarse

Mientras desayuna, ponga música relajante e inspiradora. Cree una lista de reproducción dominical con sus canciones favoritas y póngala mientras se prepara para el día. Coma despacio y con atención mientras deja que los sonidos lo inunden y le ayuden a sentirse relajado.

Honre al sol

Tómese el resto del día para establecer intenciones, curarse y abrazar el poder de la abundancia. Gire la cara hacia el cielo y sienta cómo los rayos del sol lo llenan de esperanza y amor. Decore su altar con girasoles, caléndulas y cristales de citrino. Queme velas naranjas y amarillas y agradezca al sol su presencia en su vida cada día.

Prepararse para la semana que empieza

Esta es posiblemente la parte más importante de la semana. Algunas personas preparan su cuerpo con ejercicio, mientras que otras meditan o leen un buen libro para preparar la mente. Este es su momento para la rutina y sus energías internas. Lo que más le convenga es lo que debe hacer. Caminar por la naturaleza puede funcionar para algunos, mientras que otros pueden preferir una noche con amigos.

Esta guía es un conjunto intercambiable de actividades y rituales que pueden adaptarse a la energía de cada día. La magia planetaria consiste en conectarse con el universo y formar parte de una visión más amplia.

Conclusión

Ahora que tiene una guía completa de los planetas, es hora de conectar y explorar. Todos somos parte del cosmos, ¡y deberíamos celebrar este hecho intencionadamente! Sea más amable con usted mismo y con los demás y cambie su forma de ver el universo. Todos nos beneficiamos de la bondad y la conectividad, así que sea un catalizador del cambio. Buena suerte en su viaje y *difunda el amor.*

Vea más libros escritos por Mari Silva

Su regalo gratuito

¡Gracias por descargar este libro! Si desea aprender más acerca de varios temas de espiritualidad, entonces únase a la comunidad de Mari Silva y obtenga el MP3 de meditación guiada para despertar su tercer ojo. Este MP3 de meditación guiada está diseñado para abrir y fortalecer el tercer ojo para que pueda experimentar un estado superior de conciencia.

https://livetolearn.lpages.co/mari-silva-third-eye-meditation-mp3-spanish/

Referencias

«Como es arriba es abajo: Significado e interpretación». 6 dic. 2020, https://linguaholic.com/linguablog/as-above-so-below-meaning/?msclkid=a8f1b824c38311ecad5294ca460c6463

«Cinco Rituales de Venus para invocar a la deidad femenina». Oui We, www.ouiwegirl.com/beauty/2020/10/10/5-venus-rituals-to-invoke-the-divine-feminine

«Los diez mejores guiones de meditación guiada | Júpiter». Getjupiter.com, 25 ene. 2022, https://getjupiter.com/blogs/wellness/free-guided-meditation-scripts

Administrador, sitio del autor. «Las deidades planetarias». Green Planet Astrology, 30 dic. 2016, https://greenplanetastrology.wordpress.com/2016/12/30/the-planetary-deities/?msclkid=50295b89c6aa11ecbc701363bcdd906a

Arcane, Arcane. «Picatrix». Grimorio Mágico, 2 sep. 2020, https://booksofmagick.com/picatrix/?msclkid=cee86f71c38511ecb387a709b95a38e2

astrologerbydefault. «Energías de los planetas y alimentos que le gustan». AstrologíaPsicológica, 15 ene. 2019, https://psychologicallyastrology.com/2019/01/15/planetary-energies-of-the-food-you-love/#:~:text=Plants%20naturally%20produce%20such%20chemicals%20in%20minute%20quantities

Avia. «Símbolos del dios Marte». What's-Your-Sign.com, 7 feb. 2018, www.whats-your-sign.com/god-symbols-mars.html?msclkid=f3305d69c83711ec9b277908c184c3a9

«Correspondencias de Mercurio y sus aspectos de tierra y aire de Alchemy Works». Www.alchemy-Works.com, www.alchemy-works.com/planets_mercury.html?msclkid=d8ceee1cc79111ec953f5903f8879326

«Cada día tiene un planeta que lo acompaña: así puede aprovechar esta energía». Elite Daily, www.elitedaily.com/lifestyle/what-planet-rules-each-day

«HECHIZOS EFECTIVOS DE AMOR a través de la DIOSA VENUS». Hechizos de Amor, 4 de junio de 2020, https://lovespell.tips/effective-love-spells-through-goddess-venus/

«Efectos de Júpiter benéfico o maléfico en el horóscopo - Astrología». Astrología Védica y Ayurveda, 18 sept. 2014, www.astrogle.com/astrology/effects-jupiter-benefic-malefic-horoscope.html

Mejore sus hechizos de dinero con la energía de Júpiter - Black Witch Coven. 22 mar. 2017, https://blackwitchcoven.com/enhance-your-money-spells-with-jupiter-energy/

happy.com.pt, Feliz. «Júpiter en astrología - Significado, signos y carta natal - AstroMundus». AstroMundus, 25 abr. 2021, https://astromundus.com/en/jupiter-astrology/

«Marte en astrología - Significado, signos y carta natal - AstroMundus». AstroMundus, 25 abr. 2021, https://astromundus.com/en/mars-astrology/?msclkid=48d3f725c83711ecb27e48ee8a7b4947

«Mercurio en astrología - Significado, signos y carta natal - AstroMundus». AstroMundus, 26 abr. 2021, https://astromundus.com/en/mercury-astrology?msclkid=2498a75ec76f11ecb494b5f0c62ef741

«Saturno en astrología - Significado, signos y carta natal - AstroMundus». AstroMundus, 26 abr. 2021, https://astromundus.com/en/saturn-astrology/

«La luna en astrología - Significado, signos y carta natal - AstroMundus». AstroMundus, 26 abr. 2021, https://astromundus.com/en/moon-astrology/?msclkid=c205ac48c6a911ec8b3c6dfb5127889f.

«Cómo crear un altar sagrado para la meditación, la magia y el ritual | She Rose». She Rose Revolution, 10 jun. 2020, https://revoloon.com/shanijay/062020-how-to-create-a-sacred-altar.

«Júpiter». Dioses y Diosas, https://godsandgoddesses.org/roman/jupiter/

«Júpiter - los planetas - la diosa blanca». http://www.thewhitegoddess.co.uk/, www.thewhitegoddess.co.uk/the_elements/the_planets/jupiter.asp

Kedia, Surabhi. «Lista de animales espirituales | una lista completa de animales espirituales y significados». TheMindFool - Medio Perfecto para el Autodesarrollo y la Salud Mental. Explorer of Lifestyle Choices & Seeker of the Spiritual Journey, 22 mar. 2020, https://themindfool.com/spirit-animal-list/

ladyoftheabyss. «Colores de luna llena, hierbas, aceites, incienso y mucho más». Witches of the Craft®, 1 de julio de 2015, https://witchesofthecraft.com/2015/07/01/full-moon-colours-herbs-oils-incense-and-much-more/?msclkid=6dad3f44c6ab11ec8500c6c8e727e8c7

«Lista de deidades solares». Religión Wiki, https://religion.fandom.com/wiki/List_of_solar_deities?msclkid=0d23ada3c514 11ec9047b0bb68c4f708

«Simbolismo y significado de los animales espirituales lunares - Simbolismo de los animales lunares». ZodiacSigns-Horoscope.com, 24 de mayo de 2019, www.zodiacsigns-horoscope.com/spirit-animals/lunar-spirit-animal-symbolism/?msclkid=94559fa9c6aa11ecacb674a2145041f7

«Días mágicos de la semana: Correspondencias y energía diaria». Oráculo de otro mundo, 22 abr. 2020, https://otherworldlyoracle.com/magical-days-of-the-week/

«Marte - los planetas - la diosa blanca». Www.thewhitegoddess.co.uk, www.thewhitegoddess.co.uk/the_elements/the_planets/mars.asp?msclkid=4c4f4 577c83811eca99c32b508dcd16d

Significado de Júpiter en astrología: El mejor benéfico - Astrology. advanced-

«Mercurio». Dioses y Demonios Wiki,

moodymoons. «Magia solar y brujería». Moody Moons, 7 abr. 2015, https://www.moodymoons.com/2015/04/07/sun-magick/?msclkid=3edecbdfc51411ec86775090d9626a86.

Penczak, Christopher. «Magia planetaria 5: Marte y la victoria». Christopher Penczak, 29 de julio de 2013, https://christopherpenczak.com/2013/07/29/planetary-magic-5-mars-and-victory/

«Rasgos de personalidad que revelan las cartas de signos lunares». Astrology Bay, 11 ene. 2008, https://astrologybay.com/moon-sign-charts?msclkid=1bf8d615c6aa11ec9080a15acd122a75.

PowerofPositivity. «Cinco cosas que le enseñará leer su carta natal». Poder de la Positividad: Pensamiento y actitud positivos, 13 ago. 2015, www.powerofpositivity.com/5-things-reading-your-birth-chart-will-teach-you/#:~:text=Your%20birth%20chart%20will%20show%20you%20that%20you.

«Papel e importancia de los planetas en astrología». Shrivinayakaastrology.com, https://shrivinayakaastrology.com/Planets/roleofplanets.html?msclkid=75a3b96 5c48111ec8424ee272b586e4d.

«Saturno - los planetas - la diosa blanca». Www.thewhitegoddess.co.uk, www.thewhitegoddess.co.uk/the_elements/the_planets/saturn.asp

Secretos de los grimorios mágicos: Los textos clásicos de la magia descifrados - Aaron Leitch - OCCULT WORLD. https://occult-world.com/secrets-of-the-magickal-grimoires/

«Simbolismo solar de los animales». Signos Solares, 26 de julio de 2016, www.sunsigns.org/solar-animal-symbolism/#:~:text=Dos%20otras%20criaturas%2C%20el%20gallo%20y%20el%20dragón%2C

«Bruja solar: Cómo lanzar MAGIA SOLAR de once maneras». Oráculo de otro mundo, 30 ago. 2020, https://otherworldlyoracle.com/solar-witch/?msclkid=c0061049c51211ec9a05292bedcb236a

«El Sol en la astrología |». Astroligion.com, 26 sept. 2020, https://astroligion.com/sun-in-astrology/?msclkid=b4b0060ac54411ecb6e2b4dc1ea7b7c1

«Las dignidades esenciales de los planetas: Exaltado, detrimento, domicilio y caída | los AstroTwins». Astrostyle: Astrología y Horóscopos Diarios, Semanales y Mensuales por las AstroTwins, 15 ago. 2020, https://astrostyle.com/astrology/essential-dignities/?msclkid=bced7594c45611ecb3766a96d43aa31f

«El ritual definitivo de luna llena para principiantes». Soul Design por Sarah Kreuz, www.sarahkreuz.co/moon-rituals/full-moon-rituals-for-beginners?msclkid=6cc51403c6cf11ec961da1d207da5984

«¿Qué son los altares espirituales y cómo hacer uno? | Astrology Answers». AstrologyAnswers.com, https://www.astrologyanswers.com/article/what-are-spiritual-altars-how-can-you-make-one/

«¿Qué es una carta astral? Su carta natal explicada». Astrostyle: Astrología y Horóscopos Diarios, Semanales y Mensuales por los AstroTwins, https://astrostyle.com/astrology/birth-chart/?msclkid=6471399ec45511ec80a07c7c0a404e8b.

«¿Qué es la magia planetaria?». Arnemancia, 27 de julio de 2020, https://arnemancy.com/articles/practice/what-is-planetary-magic/?msclkid=93f3e5ecc38611ec89e26c7b3faa4e33.

Witchipedian, El. «Venus». La Witchipedia, 9 de julio de 2019, https://witchipedia.com/astrology/venus/

«Trabajar con la poderosa energía de Mercurio (consejos de brujería)». Magickalspot.com, 8 de septiembre de 2021, https://magickalspot.com/mercury-energy/#:~:text=El%20mejor%20día%20para%20trabajar%20con.

Printed in the USA
CPSIA information can be obtained
at www.ICGtesting.com
LVHW020140091123
763265LV00008B/356